Les intelligences multiples dans votre classe

Traduction de *Multiple Intelligences in the Classroom*
(ISBN 0-87120-230-1) © 1994, Association for
Supervision and Curriculum Development, Virginia

© 1999 Les Éditions de la Chenelière inc.

Coordination: Danièle Bellehumeur
Révision linguistique: Linda Tremblay et Danièle Bellehumeur
Correction d'épreuves: Danièle Bellehumeur
Infographie: Claude Bergeron
Couverture: Stéphane Gaulin

Conception graphique: Karen Monaco

Données de catalogage avant publication (Canada)

Armstrong, Thomas

   Les intelligences multiples dans votre classe
   Traduction de: Multiple intelligences in the classroom.

   Comprend des références bibliographiques et un index.

   ISBN 2-89461-169-2

   1. Enseignement.   2. Styles cognitifs chez l'enfant.
3. Apprentissage.   4. Intelligence.   I. Titre.

   LB1025.3.A7614 1998   370.15'23   C98-941127-3

**Chenelière
Éducation**

7001, boul. Saint-Laurent
Montréal (Québec)
Canada H2S 3E3
Téléphone : (514) 273-1066
Télécopieur : (514) 276-0324
info@cheneliere-education.ca

ISBN 2-89461-169-2

Dépôt légal: 1er trimestre 1999
Bibliothèque nationale du Québec
Bibliothèque nationale du Canada

Imprimé au Canada
4 5 6 7 8 A 08 07 06 05 04

Nous reconnaissons l'aide financière du gouvernement du
Canada par l'entremise du Programme d'Aide au Développement de l'Industrie de l'Édition pour nos activités d'édition.

L'Éditeur a fait tout ce qui était en son pouvoir pour retrouver
les copyrights. On peut lui signaler tout renseignement
menant à la correction d'erreurs ou d'omissions.

DANGER

LE
PHOTOCOPILLAGE
TUE LE LIVRE

Préface

EN PLUS DE MES PROPRES OUVRAGES, il y a maintenant un certain nombre de guides qui traitent de la théorie des intelligences multiples, écrits par mes propres associés au *Harvard Project Zero* et par des confrères d'ailleurs au pays. Ayant une formation en orthopédagogie, Thomas Armstrong a été l'un des premiers éducateurs à écrire sur le sujet. Il s'est toujours démarqué dans mon esprit à cause de l'exactitude de ses comptes rendus, de la clarté de sa prose, de l'éventail de ses références et de son ton accessible aux enseignants.

Il a préparé le présent livre pour les membres du *Association for Supervision and Curriculum Development* (ASCD). Affichant les qualités que j'attendais, cet ouvrage est un compte rendu fidèle et facile à lire de mon travail. Il s'adresse particulièrement aux enseignants, aux administrateurs et à d'autres éducateurs. Armstrong y a aussi ajouté quelques bonnes touches de son cru : la notion d'une « expérience paralysante », pour compléter le concept de Joseph Walters et le mien d'une « expérience cristallisatrice » ; la suggestion de tenir compte du mauvais comportement des enfants comme indice de leurs intelligences ; certaines suggestions informelles sur la façon de faire participer les enfants à l'examen de leurs propres intelligences et comment diriger une classe d'une façon qui tient compte des IM. Il y a inclus plusieurs outils rudimentaires qui peuvent permettre d'évaluer le profil intellectuel de quelqu'un, de gérer les forces et les inclinations des enfants et de faire participer les jeunes à des jeux conçus autour des IM. Il transmet une idée réaliste de ce que peuvent être les classes à IM, les activités d'apprentissage, les programmes d'enseignement et les évaluations. Les chapitres se terminent par une liste de suggestions pour la mise en pratique des idées énoncées.

Comme Armstrong le souligne dans son introduction, je ne crois pas qu'il y ait une seule voie pour l'implantation des idées relatives aux IM dans la classe. Je trouve encourageant et édifiant de voir la grande diversité de moyens utilisés par les enseignants de tout le pays, pour mettre en application mes idées. Je n'ai alors aucune difficulté à dire : « Laissez fleurir 100 écoles à IM. » À mon avis, l'essence de la théorie se situe dans le respect des nombreuses différences, les multiples façons d'apprendre, les différents modes d'évaluation et le nombre presque infini de façons de laisser sa marque dans le monde. Puisque Thomas Armstrong partage cette vision, je suis heureux de constater qu'il a eu l'occasion de vous présenter ces idées et j'espère que vous voudrez, à votre tour, les adapter à votre façon, selon votre propre tempérament.

— Howard Gardner

Avant-propos

CE LIVRE EST LE RÉSULTAT DE MON TRAVAIL des huit dernières années, consacré à l'application de la théorie des intelligences multiples de Howard Gardner sur les matières fondamentales de l'enseignement (Armstrong, 1987b, 1988, 1993). Je fus d'abord attiré par ce modèle en 1985, quand j'ai constaté qu'il utilisait un langage s'adressant aux dons cachés des enfants, notamment aux élèves portant des étiquettes telles « difficultés d'apprentissage » et « problèmes de comportement » à l'école (Armstrong 1987a). Spécialiste des problèmes d'apprentissage à la fin des années 70 et au début des années 80, j'ai commencé à ressentir le besoin de m'écarter de ce que je considérais comme un paradigme orienté vers les déficits en orthopédagogie.

Je n'ai pas eu à créer un nouveau modèle. Howard Gardner l'avait déjà fait avant moi. En 1979, alors qu'il était chercheur à Harvard, un groupe philanthropique hollandais, la *Bernard Van Leer Foundation*, lui demanda de sonder le potentiel humain. Cette invitation a conduit à la fondation du *Harvard Project Zero*, qui a servi de « sage-femme institutionnelle » à la théorie des intelligences multiples. Bien que Gardner pensait à la notion de « plusieurs types d'intelligences » depuis le milieu des années 1970 (*voir Gardner et Hatch 1989*), la publication en 1983 de son livre *Frames of Mind* a marqué la naissance réelle de la théorie des IM.

La réaction à la théorie des intelligences multiples fut importante. Des organismes comme la *Rockefeller Foundation*, la *Lilly Endowment*, la *Spencer Foundation* et la *MacArthur Foundation* ont investi dans la recherche sur cette théorie. Le modèle de Gardner fut reconnu par la *American Psychological Association*, l'université de Louisville et de nombreux autres groupes. Les intelligences multiples sont alors devenues un sujet d'intérêt pour les médias. On en a parlé à *ABC World News Tonight*, à *The Today Show* et à *Donahue*. Des articles sur le sujet ont paru dans

Life, Newsweek, Family Circle, The New York Times et dans nombre d'autres publications. Partout dans le pays, des écoles ont commencé à incorporer les intelligences multiples à leurs programmes. Le taux actuel d'implantation du modèle de Gardner est difficile à mesurer, puisque la théorie des IM n'est pas un programme fixe et que Gardner a exprimé le souhait de ne pas superviser personnellement un empire des intelligences multiples bourgeonnant (« Je ne suis pas la police des pensées », a-t-il fait remarquer au cours d'une réunion de l'*ASCD*).

La théorie des IM correspond probablement plus exactement à une philosophie de l'éducation, à une attitude envers l'apprentissage ou même à un méta-modèle de l'éducation de l'esprit selon les idées de l'éducation progressiste de John Dewey, qu'à un programme de techniques et de stratégies établies. Ainsi, elle offre aux enseignants la possibilité d'adapter de façon créative ses principes de base à n'importe quel contexte d'apprentissage. Dans ce volume, je présente ma propre adaptation du modèle de Gardner. Mon souhait est que ce livre soit utilisé de différentes façons, pour aider à stimuler des réformes continues en éducation :

- en guise d'introduction pratique à la théorie des intelligences multiples pour ceux qui ne connaissent pas le modèle ;
- comme texte supplémentaire pour les enseignants en formation dans les facultés d'éducation ;
- comme guide pour les groupes d'enseignants et les administrateurs œuvrant à implanter des réformes scolaires dans des écoles ;
- comme livre de référence pour les enseignants à la recherche de nouvelles idées afin d'améliorer leur enseignement.

Plusieurs personnes ont rendu possible la réalisation de ce livre. D'abord, j'aimerais remercier Howard Gardner, dont l'appui a nourri mon intérêt soutenu pour la théorie des IM. Je remercie également Mert Hanley, directeur du *Teaching/Learning Center* au *West Irondequoit School District* dans l'État de New York, qui m'a donné l'occasion de travailler dans plusieurs « districts scolaires » de la région de Rochester, ce qui m'a permis d'expérimenter plusieurs des idées abordées dans ce livre. Merci également aux personnes suivantes, qui ont aidé, à divers titres, à la réalisation du présent ouvrage : Sue Teele, David Thornberg, Jo Gusman, Jean Simeone, Pat Kyle, DeLee Lanz, Peggy Buzanski, Dee Dickinson et mon épouse, Barbara Turner. Finalement, ma profonde reconnaissance aux milliers d'enseignants, d'administrateurs et d'élèves qui ont réagi aux idées et aux stratégies présentées dans ces pages : « Ce livre a été conçu en reconnaissance du riche potentiel qui existe en chacun de vous. »

— Thomas Armstrong

Table des matières

1 Les fondements de la théorie des intelligences multiples

> Il est de la plus haute importance que l'on reconnaisse et entretienne chacune des différentes formes de l'intelligence humaine, ainsi que chacune de leurs combinaisons. Nous sommes tous différents les uns des autres parce que ces combinaisons varient d'une personne à l'autre. Si nous acceptons ce fait, je crois que nous avons au moins une chance de résoudre les différents problèmes qui se posent à nous dans le monde. [Traduction libre]
>
> — Howard Gardner (1987)

EN 1904, LE MINISTRE DE L'INSTRUCTION PUBLIQUE de la France a demandé au psychologue français Alfred Binet et à un groupe de ses collègues de mettre au point un moyen qui permettrait de repérer les élèves du primaire qui « risquaient » d'échouer, pour qu'on leur porte une attention particulière. Leurs travaux menèrent à la création des premiers tests d'intelligence. Importés aux États-Unis quelques années plus tard, ces tests devinrent largement utilisés, répandant la théorie selon laquelle on pouvait mesurer objectivement ce qu'on appelait l'« intelligence » et réduire le résultat à un seul nombre, appelé quotient intellectuel (QI).

Presque quatre-vingts ans après la création des premiers tests d'intelligence, un psychologue de Harvard, Howard Gardner, conteste cette idée. Alléguant que notre culture définit trop étroitement l'intelligence, il propose dans son livre *Frames of Mind* (1983) [Les Formes de l'intelligence, Édition Odile Jacob, Paris, 1997] l'existence d'au moins sept intelligences de base. Dans sa théorie des intelligences multiples (théorie des IM), Gardner cherche à élargir la portée du potentiel humain au-delà des limites érigées par le QI. Il remet sérieusement en question la validité d'une méthode qui détermine l'intelligence d'une personne en isolant celle-ci de son environnement naturel d'apprentissage et en lui demandant d'exécuter des tâches isolées qu'elle n'a jamais eu à faire, et qu'elle ne fera probablement jamais par la suite. Selon Gardner, l'intelligence porte davantage sur la capacité de résoudre des problèmes ou de créer des produits, dans un cadre naturel et enrichissant.

Description des sept intelligences

Une fois cette perspective plus large et plus pragmatique acceptée, la notion d'intelligence commence à perdre son côté mystique et devient un concept pratique et observable à divers égards, dans la vie des gens. Gardner a donc créé une méthode de classement des nombreuses aptitudes de l'être humain, en regroupant les compétences en sept catégories ou « intelligences ».

Intelligence linguistique : aptitude à utiliser efficacement les mots, oralement (ex. : conteur, oratrice ou politicien) ou par écrit (ex. : poète, dramaturge, éditrice ou journaliste). Cette intelligence comprend la capacité de manipuler la syntaxe (ou structure du langage), la phonétique (ou son du langage), la sémantique (ou signification du langage) et la dimension pragmatique (ou côté pratique du langage). Parmi ses utilisations, on trouve la rhétorique (pour inciter d'autres personnes à entreprendre une action particulière), la mnémotechnique (pour se rappeler une donnée) et le métalangage (pour parler de la langue).

Intelligence logico-mathématique : aptitude à utiliser efficacement les nombres (ex. : mathématicienne, conseiller fiscal ou statisticien) et à bien raisonner (ex. : scientifique, programmeur en informatique ou logicien). Cette intelligence fait appel à la sensibilité aux modèles et aux relations logiques, aux affirmations et aux propositions (si-alors, cause-effet), aux fonctions et à d'autres abstractions semblables. Parmi les opérations utilisées par l'intelligence logico-mathématique, on trouve la catégorisation, la classification, l'inférence, la généralisation, le calcul et l'analyse d'hypothèses.

Intelligence spatiale : aptitude à percevoir correctement le monde spatiovisuel (ex. : chasseur, scout ou guide) et à apporter des transformations à ces perceptions (ex. : décorateur, architecte, artiste ou inventeur). Cette intelligence fait appel à la sensibilité aux couleurs, aux lignes, aux formes, aux figures, à l'espace et aux relations qui existent entre ces éléments. Elle comprend l'aptitude à visualiser, à représenter graphiquement des concepts visuels ou spatiaux et à s'orienter correctement dans l'espace.

Intelligence kinesthésique : aptitude à utiliser son corps pour exprimer une idée ou un sentiment (ex. : actrice, mime, athlète ou danseur) et à utiliser ses mains pour créer ou transformer des objets (ex. : ouvrier, sculpteur, mécanicienne ou chirurgien). Cette intelligence suppose des talents physiques particuliers, telle la coordination, l'équilibre, la dextérité, la force, la flexibilité et la vitesse, ainsi que les sensibilités proprioceptive et tactile.

Intelligence musicale : aptitude à percevoir (ex. : amateur de musique), à discriminer (ex. : critique), à transformer (ex. : compositeur) et à exprimer (ex. : interprète) les formes musicales. Cette intelligence met en jeu la sensibilité au rythme, à la tonalité (ou mélodie), ainsi qu'au timbre (ou qualité sonore) d'une pièce musicale. Une personne peut avoir de la musique une compréhension figurale, « de haut en bas » (globale, intuitive), ou formelle, « de bas en haut » (analytique, technique), ou les deux.

Intelligence interpersonnelle : aptitude à percevoir l'humeur, l'intention, la motivation et les sentiments des autres personnes. Cette intelligence implique la sensibilité aux expressions faciales, à la voix et au geste, l'aptitude à distinguer les différents types de signaux interpersonnels et à y répondre efficacement et de façon pragmatique (ex. : inciter un groupe de gens à adopter une idée).

Intelligence intrapersonnelle : conscience de soi et aptitude à agir selon celle-ci. Cette intelligence suppose la connaissance de soi (forces et limites) ; la conscience de ses propres humeurs, intentions, motivations, tempéraments et désirs, ainsi que l'aptitude à s'imposer une discipline, à se comprendre soi-même et à avoir une estime de soi.

Fondements théoriques des « intelligences multiples »

En prenant connaissance de la classification proposée pour Gardner, (notamment les intelligences musicale, spatiale et kinesthésique), de nombreuses personnes se sont demandé pourquoi il utilise le terme *intelligence* plutôt que *talent* ou *aptitude*. Gardner s'est rendu compte que les gens sont habitués d'entendre des expressions comme « il n'est pas très intelligent, mais il a un merveilleux talent musical » et est très conscient de l'utilisation qu'il fait du terme *intelligence* pour décrire chaque catégorie. Il a même dit en entrevue : « Je suis délibérément un peu provocateur. Si j'avais parlé de sept types de compétences, les gens auraient bâillé. Cependant, en les nommant *intelligences*, je dis que nous avons mis sur un piédestal une catégorie appelée *intelligence*, alors qu'en réalité, il y en a plusieurs et qu'il y a des choses que nous n'avons jamais considérées comme de *l'intelligence.* » (Weinreich-Haste 1985, p. 48). Pour fournir un fondement théorique à ses affirmations, Gardner a conçu certains « tests » de base permettant d'identifier ces catégories comme intelligences à part entière plutôt que comme un talent, une compétence ou une aptitude. Les huit facteurs suivants ont servi de critères :

Isolement potentiel en cas de lésion cérébrale. Dans son travail à la *Boston Veterans Administration* (administration des anciens Combattants de Boston), Gardner a travaillé avec des personnes qui ont subi des accidents ou des maladies qui ont affecté des parties de leur cerveau. Dans plusieurs cas, les lésions cérébrales semblent avoir détérioré une intelligence particulière et avoir laissé les autres intelligences intactes. Par exemple, une lésion dans l'aire de Broca (lobe frontal gauche) peut endommager une bonne partie de l'intelligence linguistique d'une personne. Par conséquent, celle-ci peut éprouver beaucoup de difficulté à parler, à lire et à écrire. Elle peut garder ses aptitudes à chanter, à calculer, à danser, à réfléchir sur ses émotions et à entrer en relation avec les autres. Par ailleurs, une lésion au lobe temporal de l'hémisphère droit peut détériorer les aptitudes musicales, tandis que des lésions au lobe frontal peuvent principalement affecter les intelligences personnelles.

Selon Gardner, il existerait donc sept systèmes cérébraux relativement autonomes, version plus évoluée et actuelle du modèle d'apprentissage « cerveau gauche/cerveau droit » qui fut très populaire dans les années 70. Le tableau 1.1 présente les structures cérébrales associées à chaque intelligence.

Existence de déficients profonds aux talents exceptionnels, de prodiges et d'autres individus exceptionnels. Selon Gardner, on peut observer chez certaines personnes une intelligence isolée fonctionnant à un stade avancé, comme de grosses montagnes s'élevant derrière un horizon plat. Les savants, par exemple, sont des personnes qui démontrent des aptitudes supérieures pour une intelligence alors que leurs autres intelligences fonctionnent à un niveau moindre. Cela semble exister pour chacune des sept intelligences. Par exemple, dans le film *Rain Man* (fondé sur une histoire vraie), Dustin Hoffman joue le rôle de Raymond, un adulte autiste, doublé d'un génie logico-mathématique. Ce personnage peut mentalement faire des opérations mathématiques rapides de plusieurs chiffres ainsi que d'autres opérations mathématiques étonnantes, mais il entre difficilement en relation avec ses pairs, il éprouve des difficultés de langage et peut difficilement gérer sa vie. Par ailleurs, il existe des déficients profonds qui dessinent exceptionnellement bien, d'autres dont la mémoire musicale est fascinante (ils peuvent jouer une pièce après l'avoir entendue une seule fois) et certaines personnes qui peuvent lire un texte compliqué sans en comprendre le sens (hyperlexie).

Développement distinct et ensemble déterminé de performances exceptionnelles. Gardner soutient que les intelligences sont stimulées par la participation à certaines activités culturellement mises en valeur et que l'habileté d'une personne, dans une certaine activité, suit une évolution particulière. Chaque activité associée à une intelligence se développe selon son propre cheminement, c'est-à-dire que chacune apparaît à une certaine époque dans la petite enfance, atteint son apogée à un autre moment de la vie et, selon son propre cheminement, décline rapidement ou graduellement avec l'âge. La composition musicale, par exemple, semble faire partie des activités culturellement valorisées qui se développent en bas âge à un niveau élevé de compétence. Mozart n'avait que 4 ans lorsqu'il s'est mis à composer. Or d'autres compositeurs ont été actifs jusqu'à 80 ans ou 90 ans. Donc, l'aptitude à la composition musicale semble aussi rester relativement forte à un âge avancé.

L'expertise mathématique présente un cheminement quelque peu différent. Elle n'apparaît pas aussi tôt que l'aptitude à composer de la musique (à 4 ans, les enfants explorent encore concrètement les idées logiques), mais elle atteint son apogée relativement tôt dans la vie. Beaucoup de notions mathématiques et scientifiques ont été formulées par des adolescents comme Blaise Pascal et Karl Friedrich Gauss. En fait, l'histoire des mathématiques révèle que peu de notions mathématiques originales sont le fait de personnes ayant plus de 40 ans. D'ailleurs, les mathématiciens qui atteignent cet âge sont considérés comme des vieillards dans leur domaine. Il n'y a cependant pas lieu de s'alarmer, car ce déclin ne semble généralement pas affecter les compétences pratiques, comme équilibrer un livre de comptes.

Par contre, on peut devenir un romancier à succès à 40 ans, 50 ans et même plus. Une personne peut même devenir peintre après 75 ans. Ce fut le cas de Anna Mary Moses (Grandma Moses). Gardner signale que nous devons utiliser plusieurs modèles de développement différents pour comprendre les sept intelligences. Piaget a fourni un modèle compréhensible de l'intelligence logico-mathématique, mais il faut aller voir du côté de Erik Erikson pour découvrir un modèle du développement de l'intelligence intrapersonnelle et du côté de Noam Chomsky ou de Lev Vygotsky, pour des modèles de développement de l'intelligence linguistique. Vous

TABLEAU 1.1

Résumé de la théorie des IM

Intelligence	Caractéristiques	Systèmes symboliques	Performances exceptionnelles
Linguistique	Sensibilité aux sons, aux structures, à la signification et aux fonctions des mots et du langage	Langage phonétique (ex. : le français)	Littérature, communication (ex. : Virginia Woolf, Martin Luther King)
Logico-mathématique	Sensibilité aux modèles logiques ou numériques et aptitude à les différencier ; aptitude à soutenir de longs raisonnements	Langage informatique (ex. : pascal)	Sciences, mathématiques (ex. : Marie Curie, Blaise Pascal)
Spatiale	Aptitude à percevoir correctement le monde spatiovisuel et à y apporter des transformations	Langage idéographique (ex. : le chinois)	Arts, architecture (ex. : Frida Kahlo, I. M. Pei)
Kinesthésique	Aptitude à maîtriser les mouvements de son corps et à manipuler des objets avec soin	Langage signé, braille*	Athlétisme, danse, sculpture (ex. : Jesse Owens, Martha Graham, Auguste Rodin)
Musicale	Aptitude à produire et à apprécier un rythme, une tonalité et un timbre ; appréciation des formes d'expression musicale	Système de notes musicales, alphabet morse	Composition, interprétation (ex. : Stevie Wonder, Midori)
Interpersonnelle	Aptitude à discerner l'humeur, le tempérament, la motivation et le désir des autres personnes et à y répondre correctement	Signes sociaux (ex. : gestuelle et expression faciale)	Pschothérapie, politique (ex. : Carl Rogers, Nelson Mandela)
Intrapersonnelle	Aptitude à accéder à ses propres sentiments et à reconnaître ses émotions ; connaissance de ses propres forces et faiblesses	Symboles du soi (ex. : dans les rêves et les œuvres d'art)	Psychanalyse, religion (ex. : Sigmund Freud, Bouddha)

*Selon une recherche récente, de nombreux langages signés, comme le *American Sign Language* (langage signé américain), ont également une forte base linguistique (*voir Sacks 1990*).

(suite à la page suivante)

TABLEAU 1.1 (suite)

Résumé de la théorie des IM

Intelligence	Systèmes neurologiques (aires principales)	Facteurs de développement	Moyens de valorisation culturelle
Linguistique	Lobes temporal et frontal gauches (ex. : aires de Broca et de Wernicke)	« Explose » dans la jeune enfance ; reste forte jusqu'à la vieillesse	Histoires orales, conte, littérature, etc.
Logico-mathématique	Lobes pariétaux gauches, hémisphère droit	Atteint son apogée à l'adolescence et au début de l'âge adulte ; notions de mathématiques élevées qui déclinent après l'âge de 40 ans	Découvertes scientifiques, théories mathématiques, systèmes de numération et de classification, etc.
Spatiale	Régions postérieures de l'hémisphère droit	La pensée topologique dans la jeune enfance fait place au paradigme d'Euclide autour de 9-10 ans ; l'œil artistique reste fort dans la vieillesse	Travaux artistiques, systèmes de navigation, dessins d'architecture, inventions, etc.
Kinesthésique	Cervelet, noyaux basaux, aire motrice	Varie selon les composantes (force, flexibilité) ou le domaine (gymnastique, baseball, mime)	Force, performances d'athlète, théâtre, danse, sculpture, etc.
Musicale	Lobe temporal droit	Première intelligence à se développer ; les prodiges passent souvent par des crises de développement	Composition, interprétation, enregistrements musicaux, etc.
Interpersonnelle	Lobes frontaux, lobe temporal (spécialement de l'hémisphère droit), système limbique	Attachement et création des liens, éléments cruciaux durant les trois premières années	Documents politiques, institutions sociales, etc.
Intrapersonnelle	Lobes frontaux, lobes pariétaux, système limbique	Établissement de frontières entre soi et les autres, élément crucial durant les trois premières années	Systèmes religieux, théories psychologiques, rites de passage, etc.

(suite à la page suivante)

TABLEAU 1.1 (suite)

Résumé de la théorie des IM

Intelligence	Origines évolutives	Chez d'autres espèces	Facteurs historiques (aux États-Unis dans les années 90)
Linguistique	Découverte d'écritures anciennes datant de 30 000 ans	Aptitude à nommer chez les singes	Transmission orale plus importante avant l'apparition de la presse écrite
Logico-mathématique	Systèmes primitifs de nombres et de calendriers	Calcul des distances par la danse chez les abeilles	Devient plus importante avec l'utilisation de l'ordinateur
Spatiale	Peintures pariétales	Instinct territorial chez de nombreuses espèces	Devient plus importante avec la venue de la vidéo et des autres technologies visuelles
Kinesthésique	Trace d'utilisation d'outils primitifs	Utilisation d'outils chez les primates, fourmiliers et autres espèces	Était plus importante dans la période agraire
Musicale	Trace de l'existence d'instruments de musique à l'âge de la pierre	Chant des oiseaux	Était plus importante dans la culture orale, quand la communication était de nature plus musicale
Interpersonnelle	Vie de groupe nécessaire pour la chasse et la cueillette	Lien maternel observé chez les primates et d'autres espèces	Devient plus importante avec la croissance de l'économie axée sur les services
Intrapersonnelle	Trace de vie religieuse primitive	Reconnaissance de soi dans un miroir chez un chimpanzé ; expérience de la peur chez les singes	Est toujours importante à cause de la complexité grandissante d'une société exigeant l'aptitude à faire des choix

trouverez au tableau 1.1 (p. 6, 7, 8) un résumé du développement de chacune des sept intelligences.

Finalement, Gardner (1993b) souligne que la meilleure façon de voir les intelligences fonctionner à leur zénith est d'étudier les cas de performances exceptionnelles que présentent certaines personnes. Par exemple, on peut voir l'intelligence musicale à l'œuvre en étudiant la symphonie *Eroica* de Beethoven. Le tableau 1.1 donne des exemples de performances exceptionnelles pour chaque intelligence.

Histoire et plausibilité évolutionnistes. Gardner conclut que, pour chacune des sept intelligences, on découvre des racines profondément ancrées dans l'évolution de l'être humain et même plus tôt, chez d'autres espèces. Ainsi, on peut étudier les peintures pariétales de la grotte de Lascaux et observer comment certains insectes s'orientent à la recherche de fleurs. De même, on peut retracer une intelligence musicale grâce aux découvertes archéologiques d'instruments de musique primitifs et à la grande variété de chants d'oiseaux. Le tableau 1.1 donne des exemples d'origines évolutionnistes des intelligences.

La théorie des IM possède également un contexte historique. Certaines intelligences semblent avoir été plus importantes jadis. Par exemple, l'intelligence kinesthésique était plus valorisée il y a cent ans aux États-Unis, quand la majorité de la population vivait en milieu rural et que l'aptitude à moissonner et à construire des silos avait une grande importance sociale. De même, il est possible que certaines intelligences deviennent un jour plus importantes. En effet, comme de plus en plus de personnes utilisent les films, la télévision, les cassettes vidéo et les disques optiques compacts (DOC) pour s'informer, la valorisation de l'intelligence spatiale pourrait croître. Le tableau 1.1 donne des exemples de facteurs historiques qui ont influencé la valeur accordée à chaque intelligence.

Soutien venu des découvertes psychométriques. L'utilisation de mesures normalisées de la compétence humaine sert de « test » pour valider la plupart des théories de l'intelligence (ainsi que plusieurs théories de modes d'apprentissage).

Bien que Gardner ne soit pas partisan des tests normalisés et qu'il préconise davantage les méthodes de mesure alternatives, il suggère la possibilité d'utiliser plusieurs tests normalisés actuels pour cueillir des données venant appuyer la théorie des intelligences multiples (bien que ces tests mesurent ces intelligences hors-contexte, souligne Gardner).

Par exemple, l'échelle d'intelligence de Wechsler pour enfants comprend des sous-tests qui nécessitent une intelligence linguistique (ex. : information, vocabulaire), une intelligence logico-mathématique (ex. : arithmétique), une intelligence spatiale (ex. : disposition de dessins) et, à une importance moindre, une intelligence kinesthésique (ex. : assemblage d'objets). Il existe également d'autres évaluations qui font appel à l'intelligence intrapersonnelle (ex. : l'échelle de maturité de Vineland et l'évaluation du respect de soi de Coopersmith). Les différents types de tests associés à chacune des sept intelligences font l'objet d'une étude présentée au chapitre 3.

Soutien venu des travaux en psychologie expérimentale. Selon Gardner, en observant certaines études psychologiques, on peut constater que les intelligences fonctionnent de façon isolée les unes des autres. Par exemple, lorsque les sujets maîtrisent une aptitude particulière, comme la lecture, sans pouvoir la transférer dans un autre domaine, comme les mathématiques, on observe un échec dans le transfert des aptitudes linguistiques en intelligence logico-mathématique. Dans les études portant sur les aptitudes cognitives comme la mémoire, la perception ou l'attention, on note que les individus possèdent des aptitudes sélectives. Certaines personnes, par exemple, peuvent avoir une grande mémoire des mots, mais non des visages. D'autres peuvent avoir une perception aiguisée des sons musicaux, mais non des sons verbaux. Chacune de ces facultés cognitives est donc liée à une intelligence en particulier ; c'est-à-dire que les gens possèdent différents niveaux de compétence dans chaque domaine de la connaissance, selon les sept intelligences.

Opération clé ou ensemble d'opérations déterminées. Gardner dit que, de la même manière qu'un programme informatique nécessite un ensemble d'opérations (ex. : DOS) pour fonctionner, chaque intelligence possède un ensemble d'opérations-clés qui servent à effectuer les différentes activités qui lui sont propres. Par exemple, les composantes de l'intelligence musicale peuvent comprendre la sensibilité à la tonalité ou la capacité de distinguer différentes structures rythmiques. Quant aux opérations-clés de l'intelligence kinesthésique, elles peuvent supposer la capacité d'imiter les mouvements des autres ou de maîtriser un travail de précision particulier pour ériger une structure. Gardner s'avance même à dire que l'on pourra un jour définir ces opérations-clés avec une telle précision qu'on pourra les simuler avec un ordinateur.

Possibilité d'encodage dans un système symboliques. Selon Gardner, l'un des meilleurs indicateurs du comportement dit « intelligent » est la capacité de l'être humain d'utiliser des symboles. Le mot « chat » qui apparaît ici n'est qu'un ensemble de symboles imprimés dans un ordre particulier. Cependant, il provoque probablement en nous un éventail d'associations, d'images et de souvenirs. En fait, ce mot a projeté dans le moment présent (re-présent-ation) quelque chose qui n'est pas vraiment là. Gardner pense donc que l'aptitude à symboliser serait l'un des principaux éléments qui distingue l'être humain des autres espèces. Il signale que chacune des sept intelligences peut subir une symbolisation, conformément à ce critère. En fait, chacune d'elles possède ses propres systèmes de symboles ou de notes. Par exemple, dans le cas de l'intelligence linguistique, il existe différentes langues parlées et écrites comme l'anglais, le français et l'espagnol. Pour ce qui est de l'intelligence spatiale, on trouve un large éventail de langages graphiques utilisés par les architectes, les ingénieurs et les dessinateurs, ainsi que des langages idéographiques comme le chinois. Le tableau 1.1 donne des exemples de systèmes symboliques pour chacune des sept intelligences.

Éléments-clés de la théorie des IM

Au-delà de la description des sept intelligences et de leurs fondements théoriques, il est important de se rappeler les quatre éléments suivants.

1. Tout le monde possède les sept intelligences. La théorie des IM n'est pas une « théorie type » qui attribue une intelligence *unique* aux gens. Il s'agit plutôt d'une théorie du fonctionnement cognitif selon laquelle chaque personne a des aptitudes dans les sept intelligences, chaque personne ayant, bien sûr, une combinaison unique de ces intelligences. Certaines gens présentent des niveaux extrêmement élevés de fonctionnement dans toutes ou presque toutes les sept intelligences (ex. : le poète, homme d'état, scientifique et philosophe allemand Johann Wolfgang von Goethe). D'autres, par contre, comme les personnes institutionalisées pour des problèmes de développement, ne possèdent que les aspects rudimentaires de ces intelligences. Pour ce qui est de la plupart d'entre nous, c'est entre ces deux pôles que nous nous situons. Nous avons tous certaines intelligences hautement développées, certaines plus modestes et d'autres relativement peu développées.

2. La plupart des gens peuvent développer chaque intelligence jusqu'à un niveau satisfaisant de compétence. Bien qu'une personne puisse déplorer son incompétence dans un domaine et considérer ses problèmes comme innés ou insurmontables, Gardner est d'avis que presque chaque individu peut développer ses sept intelligences à un niveau de performance raisonnablement élevé, si on lui fournit le soutien, l'environnement et l'enseignement appropriés. Il donne l'exemple de la méthode Suzuki qui permet à des personnes, dont le bagage biologique musical est relativement modeste, d'atteindre un certain seuil de compétence au violon ou au piano, grâce à une influence environnementale appropriée (ex. : parent attentif, exposition dès l'enfance à la musique classique et enseignement précoce). De tels modèles éducatifs peuvent également s'appliquer à d'autres intelligences (*voir Edwards 1979*).

3. Les intelligences fonctionnent habituellement en corrélation de façon complexe. Gardner souligne que chacune des sept intelligences est en quelque sorte fictive, en ce sens qu'aucune d'entre elles n'existe de façon isolée (exception faite, peut-être, dans certains cas très rares, de déficients profonds aux talents exceptionnels et de personnes ayant subi une lésion cérébrale). Les intelligences sont toujours en interaction. Par exemple, pour préparer un repas, on doit lire la recette (linguistique), peut-être la diviser en deux (logico-mathématique), concevoir un menu qui plaira à tous les membres la famille (interpersonnelle) et qui comblera son propre appétit (intrapersonnelle). De même, l'enfant qui joue au soccer a besoin de l'intelligence kinesthésique (pour courir, donner des coups de pied et attraper), de l'intelligence spatiale (pour s'orienter sur le terrain et prévoir la trajectoire du ballon en vol) et des intelligences linguistique et interpersonnelle (pour défendre efficacement son point de vue si une dispute éclate pendant la partie). Dans la théorie des IM, on analyse les intelligences hors-contexte seulement pour en dégager les caractéristiques et apprendre à les utiliser efficacement. Il faut toujours les resituer dans le contexte culturel approprié, une fois l'étude formelle terminée.

4. Il y a de nombreuses façons d'être intelligent dans chaque catégorie. Il n'y a pas d'ensemble déterminé d'attributs que doit posséder une personne pour être considérée comme intelligente dans un domaine donné. Par conséquent, une personne peut ne pas être capable de lire mais posséder une intelligence linguistique élevée qui lui permet de raconter une merveilleuse histoire ou d'utiliser un vocabulaire riche à l'oral. De même, une personne peut être maladroite sur un terrain de football et posséder une intelligence kinesthésique supérieure quand elle tisse un tapis ou fabrique un échiquier incrusté. La théorie des IM met l'accent sur la grande variété de moyens par lesquels les gens peuvent démontrer leurs talents *à l'intérieur* des intelligences aussi bien qu'*entre* elles. (*Voir chapitre 3*).

Existence d'autres intelligences

Gardner précise que son modèle des sept intelligences n'est qu'une tentative de formulation. Après des recherches et des études plus approfondies, certaines des intelligences de sa liste peuvent ne pas respecter les huit critères décrits précédemment et ainsi ne plus porter le titre d'intelligences. Par contre, on pourrait déterminer de *nouvelles* intelligences qui répondraient aux différents critères. Parmi les nouvelles intelligences proposées, on trouve :

- la spiritualité ;
- la sensibilité morale ;
- la sexualité ;
- l'humour ;
- l'intuition ;
- la créativité ;
- l'aptitude culinaire ;
- la perception olfactive ;
- l'aptitude à synthétiser les autres intelligences.

Toutefois, il reste à voir si ces nouvelles intelligences peuvent satisfaire aux huit critères décrits précédemment.

Relation entre la théorie des IM et les autres théories de l'intelligence

La théorie de Gardner sur les intelligences multiples n'est certainement pas le premier modèle à traiter de la notion d'intelligence. Des théories de l'intelligence ont été formulées depuis les temps anciens, quand on croyait que l'esprit se situait quelque part dans le cœur, le foie ou les reins. Plus récemment, les théories de l'intelligence se sont développées, inventoriant entre 1 (le facteur « G » de Spearman) et 150 (la structure de l'intelligence selon Guilford) formes d'intelligences.

Il est également approprié ici de mentionner le nombre croissant de théories sur les styles d'apprentissage. En gros, le style d'apprentissage d'une personne révèle *ses intelligences au travail*. En d'autres termes, les styles d'apprentissage sont les manifestations pratiques des intelligences au travail dans un contexte naturel d'apprentissage. Par exemple, un enfant ayant une intelligence spatiale très développée montre une préférence (en même temps qu'une supériorité) pour l'apprentissage de nouvelles choses à travers les photos, le dessin, le matériel de construction en trois dimensions, les cassettes vidéo et les logiciels informatiques qui comprennent des graphiques. (*Voir le chapitre 3.*)

Comment alors la théorie des IM s'insère-t-elle parmi les nombreuses théories du style d'apprentissage qui ont fait des adeptes au cours des vingt dernières années ? Établir une relation entre la théorie des IM et les autres modèles est tentant, puisque les apprenants élargissent leur savoir en établissant des liens entre les nouvelles notions (dans ce cas, la théorie des IM) et les modèles ou les schémas qu'ils connaissent déjà (le modèle du style d'apprentissage qui leur est le plus familier). Cependant, cette tâche n'est pas facile à entreprendre, en partie parce que la structure sous-jacente de la théorie des IM est différente de celles de beaucoup d'autres théories de style d'apprentissage. La théorie des IM est un modèle *cognitif* qui cherche à décrire comment les gens se servent de leur intelligence pour résoudre des problèmes et pour concevoir, créer. Contrairement aux autres modèles, qui sont principalement orientés sur le processus, la méthode de Gardner se concentre particulièrement sur la façon dont l'esprit humain interagit avec les contenus fonctionnels du monde (ex. : sur les objets, les personnes, certains types de sons, etc.). Une théorie qui peut sembler apparentée à la théorie des IM est le modèle visuel-auditif-kinesthésique, mais elle en est différente, car il s'agit d'un modèle *exploitant les sens*. (La théorie des IM n'est pas particulièrement associée aux sens.) En effet, il est possible d'être aveugle et d'avoir une intelligence spatiale ou d'être sourd et d'avoir une intelligence musicale. Il existe une autre théorie populaire, le modèle Myers-Briggs, qui est en fait une théorie de la *personnalité* fondée sur la formulation théorique de Carl Jung sur les différents types de personnalités. Donc, essayer d'établir une corrélation entre la théorie des IM et les autres types de théories, c'est un peu comparer des pommes et des oranges. Bien que l'on puisse y déterminer une certaine relation et un certain lien, les efforts pour y parvenir ressembleraient à ceux de l'homme aveugle et de l'éléphant : chaque modèle ne touche qu'un aspect de l'apprenant.

Pour une étude plus approfondie

Ce premier chapitre est un tour d'horizon, une présentation brève et concise des principes fondamentaux de la théorie des intelligences multiples. Une théorie qui touche un grand nombre de domaines, dont l'anthropologie, la psychologie cognitive, la psychologie du développement, l'étude des individus exceptionnels, la psychométrie et la neuropsychologie. Les occasions ne manquent pas d'étudier la théorie pour elle-même, en faisant abstraction de son utilité pédagogique. En fait, une telle étude préliminaire pourrait même faciliter l'application de cette théorie dans la classe.

Voici quelques suggestions pouvant aider à approfondir la théorie des IM.

1. Former un groupe d'étude sur la théorie des IM en utilisant l'ouvrage de Howard Gardner, *Frames of mind : The Theory of Multiple Intelligences* (New York, Basic Books, 1983). En français, *Les formes de l'intelligence* (Édition Odile Jacob, Paris, 1997). Chaque membre du groupe peut être chargé de faire un rapport de lecture sur un chapitre en particulier.

2. Élargir la lecture sur ce modèle à partir de la bibliographie exhaustive de Gardner sur la théorie des IM, qui se trouve dans *Multiple Intelligences : The Theory in Practice* (New York, Basic Books, 1993a).

3. Proposer une nouvelle catégorie d'intelligences et y appliquer les huit critères de Gardner pour vérifier si elles peuvent porter l'étiquette d'*intelligences*, selon la théorie des IM.

4. Rassembler des exemples de systèmes symboliques pour chaque intelligence. Consulter *Experience in Visual Thinking* de McKim (Boston, PWS Engineering, 1980) pour avoir des exemples de « langages » spatiaux utilisés par les dessinateurs, les architectes, les artistes et les inventeurs.

5. Lire sur les savants associés à chaque intelligence. À ce propos, certaines des notes de bas de page de *Frames of Mind* de Gardner suggèrent des sources d'information sur les savants d'intelligences logico-mathématique, spatiale, musicale, linguistique et kinesthésique.

6. Faire la relation entre la théorie des IM et un modèle du style d'apprentissage existant.

2 Les intelligences multiples et le développement personnel

Le type de planification pédagogique que vous faites n'a aucune importance ; ce qui compte, c'est le type de personne que vous êtes. [Traduction libre]

— Rudolf Steiner (1964)

AVANT D'UTILISER UN MODÈLE D'APPRENTISSAGE dans une classe, nous devrions l'appliquer à nous-mêmes en tant qu'éducateurs et apprenants adultes car, à moins d'avoir une compréhension expérimentale de la théorie et d'avoir personnalisé son contenu, il est difficile de l'utiliser avec les élèves. Par conséquent, pour appliquer la théorie des intelligences multiples (après avoir assimilé les fondements théoriques présentés au chapitre premier) il importe de déterminer la nature et la qualité de nos *propres* intelligences multiples et de chercher des moyens de les développer dans nos vies. Cela nous permet de constater la façon dont notre aisance (ou manque d'aisance) dans chacune des sept intelligences influence notre compétence (ou notre manque de compétence) dans les différents rôles que nous avons à remplir en tant qu'éducateurs.

Détermination de vos intelligences multiples

Comme il est démontré dans les chapitres sur l'évaluation des élèves (chapitres III et X), établir le profil des intelligences multiples d'une personne n'est pas une tâche facile. En fait, aucun test ne peut déterminer avec précision la nature ou la qualité des intelligences d'une personne.

Comme Howard Gardner l'a maintes fois souligné, les tests standard normalisés ne mesurent qu'une petite partie de l'ensemble des habiletés. Ainsi, le meilleur moyen pour une personne d'évaluer ses propres intelligences multiples passe par une estimation réaliste de ses performances dans les différentes tâches, activités et expériences associées à chaque intelligence. En fait, au lieu de réfléchir sur des tâches pédagogiques artificielles, elle doit revoir les expériences qu'elle a déjà vécues en relation avec les sept intelligences. Le tableau 2.1 (pages 18-20) donne un inventaire des IM qui peut être utile dans cette tâche.

Il est important de se rappeler que cet inventaire *n'est pas* un test et que les renseignements quantitatifs (comme le nombre d'éléments cochés par intelligence) ne peuvent aucunement déterminer la présence ou le manque d'intelligence dans chaque catégorie. Le but de cet inventaire est de vous permettre de faire un lien entre vos propres expériences et les sept intelligences. Quels types de souvenirs, de sentiments et d'idées émergent de cet exercice ?

Exploitation des ressources des IM

Le modèle des intelligences multiples peut s'avérer très utile pour observer les points forts de votre enseignement aussi bien que les points à améliorer. Vous évitez peut-être de faire des dessins au tableau ou de présenter du matériel comprenant beaucoup d'éléments graphiques parce que votre intelligence spatiale n'est pas particulièrement développée. Ou bien vous favorisez des stratégies d'apprentissage en coopération parce que votre intelligence interpersonnelle est développée. Pour étudier votre style d'enseignement et pour voir comment il s'insère dans la théorie des sept intelligences, utilisez la théorie des IM. Bien que vous n'ayez pas à exceller dans chacune de ces intelligences, il est bon de savoir comment exploiter les ressources relatives aux intelligences que vous n'osez pas utiliser en classe. Voici quelques moyens d'y arriver : Compter sur l'expertise des collègues, demander l'aide des élèves et utiliser la technologie disponible.

Compter sur l'expertise des collègues. Si vous n'osez pas utiliser la musique en classe parce que votre intelligence musicale est sous-développée, demandez l'aide du professeur de musique de l'école ou d'un collègue qui s'y connaît. La portée de la théorie des intelligences multiples comprend également l'enseignement en équipe. Dans une école qui se préoccupe du développement des intelligences multiples des élèves, l'équipe d'enseignants et le comité de planification du programme d'études doivent compter sur une expertise dans tous les types d'intelligences, c'est-à-dire que

TABLEAU 2.1

Inventaire des IM pour les adultes

Prenez connaissance des énoncés dans chacune des catégories d'intelligences, puis cochez les affirmations qui s'appliquent à vous. Vous pouvez inscrire des renseignements supplémentaires à la fin de chaque catégorie.

Intelligence linguistique

_____ Les livres sont très importants pour moi.

_____ Je peux entendre les mots dans ma tête avant de les lire, de les dire ou de les écrire.

_____ Je perçois davantage d'éléments quand j'écoute la radio ou une cassette audio que lorsque je regarde la télévision ou un film.

_____ J'aime les jeux de vocabulaire comme le Scrabble, les anagrammes, les énigmes ou les rébus.

_____ J'aime m'amuser, seul ou avec d'autres, en disant des phrases très difficiles à prononcer, des rimes burlesques ou des calembours.

_____ Il arrive que les gens me demandent la signification de certains mots que j'utilise quand j'écris ou quand je parle.

_____ À l'école, je trouvais le français, les sciences sociales et l'histoire plus faciles que les mathématiques et les sciences.

_____ Quand je conduis, je porte davantage attention aux mots écrits sur les panneaux qu'au paysage.

_____ Dans mes conversations, je fais souvent référence à des choses que j'ai lues ou entendues.

_____ Récemment, j'ai écrit un texte dont je suis particulièrement fier ou qui m'a valu des compliments.

Autres forces linguistiques :

Intelligence logico-mathématique

_____ Je suis bon en calcul mental.

_____ Les mathématiques, les sciences étaient mes matières préférées à l'école.

_____ J'aime jouer à des jeux ou résoudre des problèmes qui demandent de la logique.

_____ J'aime imaginer de petites expériences du type « qu'est-ce qui arrive si » (par exemple, « qu'est-ce qui arrive si je double la quantité d'eau que je donne à mon rosier chaque semaine ? »).

_____ Mon esprit cherche les schémas, la régularité ou les séquences logiques dans les choses.

_____ Les nouvelles découvertes scientifiques m'intéressent.

_____ Je crois qu'il existe une explication rationnelle à presque tout.

_____ Il m'arrive de penser en concepts clairs, abstraits, sans mots et sans images.

_____ J'aime trouver les erreurs de logique dans ce que les gens disent ou font au travail et à la maison.

_____ Je me sens plus à l'aise quand une chose a été mesurée, classifiée, analysée ou quantifiée par un moyen ou un autre.

Autres forces logico-mathématiques :

Intelligence spatiale

_____ Je vois souvent des images claires quand je ferme les yeux.

_____ Je suis sensible aux couleurs.

_____ J'utilise souvent un appareil photo ou une caméra pour enregistrer ce que je vois.

_____ J'aime faire des casse-tête, des labyrinthes et d'autres jeux visuels.

_____ La nuit, je fais des rêves qui semblent réels.

_____ En général, je trouve facilement mon chemin dans un endroit qui ne m'est pas familier.

_____ J'aime dessiner ou griffonner.

_____ À l'école, je trouvais la géométrie plus facile que l'algèbre.

_____ Je peux facilement imaginer à quoi une chose ressemblerait si je la voyais à vol d'oiseau.

_____ Les documents que je préfère consulter sont abondamment illustrés.

Autres forces spatiales :

Intelligence kinesthésique

_____ Je pratique au moins un sport ou une activité physique de façon régulière.

_____ Je trouve difficile de rester longtemps assis.

_____ J'aime les travaux manuels comme la couture, le tissage, la sculpture, la menuiserie ou la construction de maquettes.

_____ Mes meilleures idées me viennent souvent quand je fais une marche, quand je fais de la course à pied ou encore quand je pratique une autre activité physique.

_____ Généralement, j'aime passer mes temps libres à l'extérieur.

_____ J'utilise fréquemment mes mains ou toute forme de langage corporel quand je discute avec quelqu'un.

_____ J'ai besoin de toucher les choses pour les connaître davantage.

_____ J'aime les tours de manège casse-cou ou les expériences physiques palpitantes.

_____ Je crois posséder une bonne coordination physique.

_____ Pour me familiariser avec une nouveauté, j'ai plus besoin de la pratiquer et de la vivre que de lire un texte ou voir une vidéo qui la décrivent.

Autres forces kinesthésiques :

Intelligence musicale

_____ J'ai une voix agréable quand je chante.

_____ Je peux déceler les fausses notes.

_____ J'écoute fréquemment de la musique à la radio, sur des disques ou des cassettes.

_____ Je joue d'un instrument de musique.

_____ Ma vie serait plus ennuyeuse sans musique.

_____ Parfois, comme ça en marchant, il me vient un air ou une chanson en tête.

_____ Je peux facilement garder le rythme d'une pièce musicale avec un simple instrument de percussion.

_____ Je connais l'air de différentes chansons ou de différentes pièces musicales.

_____ Si j'entends une pièce musicale une ou deux fois, je peux habituellement la chanter assez fidèlement.

_____ Je tambourine souvent ou je fredonne quand je travaille, j'étudie ou quand j'apprends quelque chose.

Autres forces musicales :

(suite à la page suivante)

Intelligence interpersonnelle

_____ Je suis le genre de personne que les gens viennent consulter pour avoir des conseils.

_____ Je préfère les sports en groupe comme le badminton, le volley-ball ou le baseball, aux sports individuels comme la natation et la course à pied.

_____ Quand j'ai un problème, je préfère demander l'aide d'une autre personne plutôt que de tenter de le résoudre par moi-même.

_____ J'ai au moins trois amis proches.

_____ Je préfère les jeux de société, comme le monopoly ou le bridg, aux passe-temps solitaires, comme les jeux vidéo et les jeux de patience.

_____ J'aime enseigner ce que je sais à une autre personne ou à un groupe de personnes.

_____ Je me considère comme un leader (d'autres me l'ont dit).

_____ Je me sens bien au milieu d'une foule.

_____ J'aime prendre part aux activités sociales liées à mon travail, à la religion et à ma communauté.

_____ Je préfère passer la soirée dans une fête animée que seul à la maison.

Autres forces interpersonnelles :

Intelligence intrapersonnelle

_____ Je passe régulièrement du temps seul à méditer sur les questions importantes de la vie, à y réfléchir ou à y penser.

_____ J'ai assisté à des séances d'orientation ou à des sessions de croissance personnelle pour me connaître davantage.

_____ Je peux affronter les échecs avec sagesse.

_____ J'ai un passe-temps ou un champ d'intérêt que je poursuis en solitaire.

_____ J'ai des objectifs de vie importants sur lesquels je me penche régulièrement.

_____ J'ai une perception réaliste de mes forces et de mes faiblesses (confirmée par d'autres sources).

_____ Je préfère passer une fin de semaine en solitaire dans un chalet plutôt que dans un club rempli de gens.

_____ Je considère avoir une forte volonté et un esprit indépendant.

_____ Je tiens un journal personnel pour garder en mémoire les événements de ma vie intérieure.

_____ Je suis un travailleur autonome, ou j'ai sérieusement pensé à ouvrir mon propre commerce.

Autres forces intrapersonnelles :

chaque membre doit présenter un niveau de développement élevé dans une intelligence différente de celle des autres.

Demander l'aide des élèves. Souvent, les élèves connaissent des stratégies et font preuve de savoir-faire dans les domaines où les enseignants sont faibles. Par exemple, certains élèves seront capables de faire des dessins au tableau ou de trouver une musique d'ambiance nécessaire à une activité.

Utiliser la technologie disponible. Utilisez les ressources techniques de votre école pour enseigner les notions que vous avez de la difficulté à transmettre. Par exemple, pour améliorer votre enseignement, vous pouvez utiliser des enregistrements de musique si vous n'êtes pas de type musical ; des cassettes vidéo si vous avez pas d'inclination pour le dessin ; des calculatrices et des logiciels de calcul si votre intelligence logico-mathématique n'est pas développée, etc.

Le moyen ultime de prendre en main les intelligences qui semblent être un « trou noir » dans votre vie passe par une culture soignée ou le développement personnel de vos intelligences. La théorie des IM peut aider à stimuler vos intelligences négligées et à équilibrer l'utilisation que vous faites de toutes vos intelligences.

Développement de vos intelligences multiples

Dans la description de chaque intelligence, un effort a été fait pour ne pas employer les expressions « intelligence forte » et « intelligence faible », car l'intelligence « faible » d'une personne peut en fait se révéler son intelligence la « plus forte » une fois qu'on lui a donné l'occasion de se développer. En effet, nous avons vu dans le Chapitre premier que *la plupart des gens peuvent développer toutes leurs intelligences à un niveau de compétence relativement élevé*. Pour ce faire, le développement des intelligences dépend de trois facteurs : le capital biologique, l'histoire personnelle ainsi que l'environnement culturel et historique.

• **Le capital biologique** porte sur les facteurs héréditaires ou génétiques et les dommages ou les lésions aux cerveaux survenus avant, pendant et après la naissance.

• **L'histoire personnelle** s'intéresse aux relations avec les parents, les professeurs, les pairs, les amis et les autres personnes qui ont éveillé ou inhibé les intelligences.

• **L'environnement culturel et historique** porte sur l'époque et le lieu de naissance, l'endroit où vous avez grandi, ainsi que la nature et l'état des développements culturels ou historiques dans les différents domaines.

Nous pouvons constater l'interaction entre ces facteurs dans la vie de Wolfgang Amadeus Mozart. Celui-ci est sans aucun doute venu au monde avec un bagage biologique favorable (un lobe temporal droit sain). De plus, il est né dans une famille de musiciens. En fait, son père, Leopold, était un compositeur et a sacrifié sa carrière pour se consacrer au talent musical de son fils. Finalement, Mozart est né à une époque où, en Europe, les arts (dont la musique) étaient florissants et où des mécènes puissants entretenaient les compositeurs et les interprètes. Le génie de Mozart s'est alors développé grâce à un ensemble des facteurs biologique, personnel et culturel-historique. Que serait-il arrivé si Mozart était né de parents n'ayant pas d'oreille et habitant l'Angleterre puritaine, où la plupart des formes musicales étaient considérées comme l'œuvre du démon ? Son talent musical ne se serait pas développé à un tel niveau et ce, à cause des forces qui auraient agi contre son héritage biologique.

L'interaction de ces facteurs est également évidente dans la compétence musicale de plusieurs personnes qui ont participé à la méthode Suzuki d'éducation des talents. Avec un bagage génétique musical relativement modeste, ces gens ont développé grâce à ce programme leur intelligence musicale à un niveau élevé. La théorie des IM est un modèle qui met en valeur autant, et probablement plus, la *culture* que la *nature* dans le développement des intelligences.

Déclencheurs et inhibiteurs des intelligences

Les *expériences cristallisatrices* et les *expériences paralysantes* constituent deux éléments-clés du développement des intelligences. Les expériences cristallisantes, concept élaboré par David Feldman (1980) à Tufts University et développé davantage par Howard Gardner et ses collègues (*voir Walters and Gardner 1986*), sont les pivots du développement des talents ou des habiletés d'une personne. Ces événements surviennent souvent dans la petite enfance, bien qu'ils puissent se produire à tout moment de la vie. Par exemple, quand Albert Einstein avait 4 ans, son père lui montra une boussole magnétique. Une fois adulte, Einstein déclara que cette boussole lui avait inculqué le désir de percer les mystères de l'univers. En somme, cette expérience a réveillé son génie endormi et l'a mené vers une vie remplie de découvertes qui a fait de lui l'un des personnages importants du XXe siècle. De même, quand Yehudi Menuhin avait presque 4 ans, ses parents l'ont amené à un concert donné par le *San Francisco Symphony Orchestra*. L'expérience l'a tellement séduit qu'il a demandé à ses parents un violon comme cadeau d'anniversaire. De plus, il voulait que le violoniste soliste qu'ils avaient vu ce soir-là soit celui qui lui enseigne à en jouer ! Les expériences cristallisatrices sont donc des étincelles qui allument une intelligence pour en amorcer le développement vers sa maturité.

L'expression « expériences paralysantes » est utilisée dans ce texte pour nommer les expériences qui « inhibent » les intelligences. Il vous est peut-être arrivé qu'un professeur d'arts vous ait humilié devant la classe quand vous avez montré votre dernière œuvre artistique. Cet événement a probablement sonné le glas d'une bonne partie de votre développement spatial. Il est possible également qu'un de vos parents vous ait crié d'arrêter de faire du bruit avec le piano, de sorte que vous n'avez jamais touché un instrument de musique depuis. Les expériences paralysantes sont souvent accompagnées de honte, de culpabilité, de peur, de colère et d'autres émotions négatives qui empêchent les intelligences de se développer et de se renforcer (*voir Miller 1981*).

Certains facteurs environnementaux peuvent favoriser ou retarder le développement des intelligences : l'accès à des ressources ou à des mentors ; l'histoire et la culture ; la géographie ; la famille et le contexte.

• **Accès à des ressources ou à des mentors :** si votre famille n'était pas assez riche pour vous procurer un violon, un piano ou un autre instrument de musique, votre intelligence musicale peut être sous-développée.

• **Histoire et culture :** si vous étiez un ou une élève qui démontrait un inclination pour les mathématiques à une époque où l'enseignement de cette matière, ainsi que des sciences, étaient très important, votre intelligence logico-mathématique peut s'être bien développée.

• **Géographie :** si vous avez grandi sur une ferme, vous avez eu plus d'occasions de développer certains aspects de l'intelligence kinesthésique que si vous avez grandi au 62ᵉ étage d'un gratte-ciel à Manhattan.

• **Famille :** si vous vouliez être un artiste et que vos parents voulaient faire de vous un ou une notaire, cela peut avoir favorisé le développement de votre intelligence linguistique aux dépens de votre intelligence spatiale.

• **Contexte :** si vous aviez à prendre soin d'une famille nombreuse étant jeune et si vous avez une famille nombreuse maintenant, vous avez sans doute eu peu de temps pour développer vos intelligences naturelles, à moins que l'intelligence interpersonnelle n'en fasse partie.

La théorie des IM constitue un modèle de développement personnel qui peut aider les enseignants à comprendre comment leur propre style d'apprentissage (profil des intelligences) influence leur style d'enseignement. De façon plus approfondie, il ouvre les portes à un large éventail d'activités pouvant aider à développer les intelligences négligées, à stimuler celles qui sont sous-développées ou paralysées et à porter les intelligences bien développées à un niveau de compétence encore plus élevé.

Pour une étude plus approfondie

1. Compléter l'inventaire des IM. Avec un ami ou un collègue, discuter des résultats et de ce que vous percevez comme vos intelligences les plus développées et vos intelligences les moins développées, en évitant de parler en termes quantitatifs (« je n'ai coché que trois éléments dans l'intelligence musicale ») ; plutôt qu'en termes d'anecdotes (« je n'ai jamais été de type très musical ; mes camarades se moquaient toujours de moi quand je devais chanter devant la classe »).

    Amorcer également une discussion sur l'influence qu'ont vos intelligences développées ou sous-développées sur votre enseignement. Quels types de méthodes ou de matériel pédagogique évitez-vous d'utiliser parce qu'ils nécessitent une intelligence qui est moins développée chez vous ? Qu'exécutez-vous particulièrement bien grâce à une ou à plusieurs intelligences hautement développées ?

2. Choisir une intelligence que vous aimeriez entretenir. Il peut s'agir d'une intelligence qui semblait pleine d'avenir dans votre enfance, mais que vous n'avez jamais eu la chance de développer (elle s'est peut-être « enfouie » avec les années), d'une intelligence avec laquelle vous avez beaucoup de difficulté et dans laquelle vous voulez acquérir plus de compétence et de confiance en vous, ou encore d'une intelligence très développée que vous voulez porter à un niveau encore plus élevé. Sur une grande feuille de papier affichée au mur (peut-être d'une longueur de 1,50 m), dessiner une courbe temporelle pour illustrer le développement de cette intelligence depuis l'enfance jusqu'aujourd'hui. Le long de cette courbe, noter les événements importants, dont les expériences cristallisatrices et les expériences paralysantes, les gens qui vous ont été utiles pour développer cette intelligence (ou qui ont cherché à la refouler), les influences de l'école, ce qui est arrivé à cette intelligence à l'âge adulte, etc. Réserver de l'espace pour inscrire des données sur le développement *futur* de l'intelligence (*voir le point 4 plus loin*).

3. Former une équipe de planification du programme d'études ou un groupe qui serait constitué de personnes représentant chacune des sept intelligences. Avant de commencer la planification, prendre le temps d'échanger vos expériences personnelles relatives à vos intelligences les plus développées.

4. Choisir une intelligence qui n'est pas très développée chez vous et préparer un plan qui permettrait de la cultiver. À ce sujet, consulter les suggestions données pour développer les intelligences dans *7 Kinds of Smart* (Armstrong 1993), ou dresser votre propre liste de moyens pour entretenir chaque intelligence. En développant l'intelligence choisie, remarquer si ce processus influence ce que vous faites en classe. Par exemple, apportez-vous davantage d'aspects de cette intelligence dans votre travail ?

3 La description des intelligences multiples chez les élèves

Ne cache pas tes talents
Utiles ils doivent être.
Qu'est un cadran solaire dans l'ombre ! [Traduction libre]

— Ben Franklin

BIEN QUE CHAQUE ENFANT possède effectivement les sept intelligences qu'il peut toutes développer à un niveau suffisamment élevé de compétence, il semble montrer, dès un très bas âge, ce que Howard Gardner appelle une « propension » (ou inclination) à certaines d'entre elles. Avant de fréquenter l'école, les enfants se sont probablement formé des modèles d'apprentissage qui respectent davantage la trajectoire de certaines intelligences plutôt que d'autres. Dans le présent chapitre, nous commencerons à décrire les intelligences les plus développées chez les élèves, de sorte que leur apprentissage scolaire puisse se faire par le biais de leurs intelligences préférées.

Le tableau 3.1 présente une description des styles d'apprentissage d'enfants qui affichent des inclinations pour des intelligences particulières. Rappelez-vous toutefois que la plupart des élèves présenteront plusieurs forces et qu'il faut donc éviter de cataloguer un enfant selon une seule intelligence. En fait, vous constaterez probablement que chaque enfant correspond à au moins deux ou trois de ces descriptions d'intelligences.

TABLEAU 3.1

Les sept styles d'apprentissage

Enfants très	Façons de penser	Champs d'intérêt	Besoins
Linguistiques	en mots	lire, écrire, raconter des histoires, jouer à des jeux de vocabulaire, etc.	livres, enregistrements, matériel de rédaction, papier, journaux, dialogues, discussions, débats, histoires, etc.
Logico-mathématiques	par raisonnements	expérimenter, questionner, résoudre des problèmes logiques, calculer, etc.	matériel d'exploration et de réflexion, matériel scientifique, matériel à manipuler, visites au planétarium et au musée des sciences, etc.
Spatiaux	en images ou en photos	dessiner, visualiser, griffonner, etc.	art, jeux de construction, cassettes vidéo, films, diapositives, jeux d'imagination, labyrinthe, casse-tête, livres illustrés, visites au musée d'art, etc.
Kinesthésiques	par leurs sensations physiques	danser, courir, sauter, construire, toucher, bouger, etc.	jeux de rôles, théâtre, mouvement, choses à construire, sports et jeux physiques, expériences tactiles, apprentissage pratique, etc.
Musicaux	par des rythmes et des mélodies	chanter, siffler, fredonner, tambouriner avec les pieds et les mains, écouter, etc.	temps pour chanter, aller aux concert, jouer de la musique à l'école et à la maison, instruments de musique, etc.
Interpersonnels	en reprenant les idées des autres	diriger, organiser, entrer en relation, manipuler, servir d'intermédiaire, faire la fête, etc.	amis, jeux de groupe, rassemblements sociaux, événements communautaires, clubs, mentors/stages supervisés, etc.
Intrapersonnels	profondément à l'intérieur d'eux-mêmes	établir des objectifs, méditer, rêver, rester calme, planifier, etc.	lieux secrets, moments de solitude, projets à leur rythme, choix, etc.

Évaluation des intelligences multiples des élèves

Sur le marché, il n'existe pas de « mégatest » permettant de faire un inventaire clair et complet des intelligences multiples des élèves. Alors, si quelqu'un vous disait qu'il possède un test informatisé pouvant donner, en quinze minutes, un graphique montrant les sept « sommets » et « creux » des intelligences de chaque élève de votre classe, il faut être très sceptique. Cela ne veut pas dire pour autant que les tests formels ne peuvent pas donner des renseignements sur les intelligences d'un ou d'une élève. Ils peuvent donner des indices sur différentes intelligences. En fait, le meilleur outil d'évaluation des intelligences multiples des élèves est probablement un outil accessible à chacun de nous : la simple observation.

Je suggère souvent avec humour aux enseignants qu'un bon moyen de déterminer les intelligences les plus développées chez les élèves est d'observer leurs *mauvaises conduites* en classe. Par exemple, l'élève très linguistique parlera quand ce ne sera pas son tour, l'élève très spatial griffonnera et sera rêveur, l'élève interpersonnel socialisera, l'élève kinesthésique gigotera, etc. Par leurs mauvaises conduites, ces enfants s'expriment : « Voici comment j'apprends. Et si vous ne m'enseignez pas en respectant cette voie qui m'est naturelle devinez quoi ? Je vais le faire de toute façon. » Ainsi, ces comportements spécifiques de chaque intelligence constituent une sorte d'appel à l'aide, un indicateur de la façon d'enseigner aux élèves.

Un autre indicateur pouvant servir à découvrir les propensions des élèves est la façon dont ils passent leurs temps libres à l'école. Autrement dit, que font les élèves quand personne ne leur dit quoi faire ? En classe, quelles activités choisissent-ils de faire pendant une « période d'activités libres » ? Les élèves très linguistiques devraient se diriger vers les livres ; les élèves sociaux vers les jeux et les discussions de groupes ; les élèves spatiaux devraient dessiner et les élèves kinesthésiques devraient choisir les activités manuelles. L'observation des enfants durant ces activités en révèle beaucoup sur leur façon d'apprendre efficacement.

Chaque enseignant devrait garder un cahier ou un journal à porter de la main, dans un pupitre ou sur une tablette, pour noter ce type d'observation. Bien sûr, si vous travaillez avec 150 élèves par jour au secondaire, la notation régulière des observations sur chacun d'eux peut se révéler difficile. Vous pourriez toutefois isoler les deux ou trois élèves les plus difficiles ou les plus mystérieux de la classe afin de concentrer votre évaluation sur leurs IM. Par ailleurs, même si vous avez une classe de 25 ou 30 élèves, écrire deux lignes sur chacun d'eux peut être profitable à long terme. Écrire deux lignes par semaine pendant 40 semaines donne 80 lignes, ou trois ou quatre pages, ce qui constitue en fait de bonnes données d'observation pour chaque élève.

Le taleau 3.2 qui suit présente une liste de points qui peut vous aider à observer les intelligences multiples des élèves. Il faut toutefois se rappeler que cette liste ne constitue pas un test et qu'elle devrait être utilisée en combinaison avec d'autres sources d'évaluation. Il s'agit de prendre connaissance de chacun des points fournis pour chaque type d'intelligence puis de cocher les éléments qui s'appliquent à l'enfant concerné.

TABLEAU 3.2

Liste d'évaluation des intelligences multiples des élèves

Nom de l'élève : _____

Intelligence linguistique
_____ Écrit mieux que la moyenne des enfants de son âge.
_____ Raconte de longues histoires ou des blagues.
_____ A une bonne mémoire pour les noms, les endroits, les dates ou les détails.
_____ Aime les jeux de vocabulaire.
_____ Aime lire des livres.
_____ Est bon en orthographe (pour le préscolaire, a une connaissance de l'orthographe avancée pour son âge).
_____ Aime les rimes burlesques, les calembours, les phrases difficiles à prononcer, etc.
_____ Aime écouter des histoires, des commentaires à la radio, des livres-cassettes, etc.
_____ A un bon vocabulaire pour son âge.
_____ Communique oralement avec beaucoup d'aisance ?

Autres forces linguistiques :

Intelligence logico-mathématique
_____ Pose beaucoup de questions sur le fonctionnement des choses.
_____ Résout rapidement des problèmes arithmétiques dans sa tête (pour le préscolaire, comprend des notions de mathématiques avancées pour son âge).
_____ Aime les cours de mathématiques (pour le préscolaire, aime compter et faire d'autres activités avec les nombres).
_____ S'intéresse aux jeux de mathématiques informatisés (s'il n'a pas accès à un ordinateur, aime les autres jeux de mathématiques ou de calcul).
_____ Aime jouer aux dames, aux échecs ou à d'autres jeux de stratégie (pour le préscolaire, les jeux de table où on doit compter les cases).
_____ Aime résoudre des problèmes ou les colles de logique (pour le préscolaire, aime écouter les histoires qui défient la logique comme *Alice au pays des merveilles*).
_____ Aime disposer les choses par catégories ou selon une hiérarchie.
_____ Aime faire des expériences selon un processus de réflexion cognitive élevé.
_____ Pense de façon plus abstraite ou plus conceptuelle que ses pairs.
_____ A une bonne notion de cause à effet pour son âge.

Autres forces logico-mathématiques :

(*suite à la page suivante*)

Intelligence spatiale

_____ Reproduit des images visuelles claires.

_____ Lit les cartes géographiques, les tableaux et les diagrammes plus facilement que les textes (pour le préscolaire, aime mieux regarder ces types de documents que des textes).

_____ Est plus de type rêveur que ses pairs.

_____ Aime les activités artisitiques.

_____ Trace des dessins de manière avancée pour son âge.

_____ Aime regarder des films, des diapositives ou d'autres présentations visuelles.

_____ Aime faire des casse-tête, des labyrinthes, des jeux du genre _Où est Charlie ?_ ou des activités visuelles semblables.

_____ Fait des constructions en trois dimensions intéressantes.

_____ Perçoit davantage de choses dans les illustrations que dans le texte en lisant.

_____ Griffonne sur les cahiers, les feuilles d'activités ou d'autre matériel.

Autres forces spatiales :

Intelligence kinesthésique

_____ Réussit bien dans un ou plusieurs sports (pour le préscolaire, démontre beaucoup d'adresse pour son âge).

_____ Bouge, remue, tambourine ou gigote quand il ou elle reste en position assise longtemps.

_____ Imite la gestuelle ou les manières des autres avec habileté.

_____ Aime démonter et assembler les objets.

_____ Met en pratique les notions apprises.

_____ Aime courir, sauter, lutter ou toute autre activité semblable (de façon plus « retenue » pour les plus vieux ; ex. : frapper un ou une camarade, courir au cours, sauter par-dessus le dossier d'une chaise).

_____ Démontre du talent dans les travaux manuels (ex. : ébénisterie, couture, mécanique) ou a une bonne coordination motrice dans d'autres domaines.

_____ S'exprime de façon théâtrale.

_____ Fait état de différentes sensations physiques quand il ou elle pense ou travaille.

_____ Aime travailler avec de la glaise ou d'autres matériaux tactiles (ex. : peinture à doigts).

Autres forces kinesthésiques :

Intelligence musicale

_____ Signale une erreur de tonalité ou de tout autre ordre.

_____ Se souvient des mélodies des chansons.

_____ A une belle voix pour chanter.

_____ Joue d'un instrument de musique, chante dans une chorale ou dans un groupe (pour le préscolaire, aime jouer des percussions ou chanter en groupe).

_____ Parle ou bouge avec rythme.

_____ Fredonne inconsciemment.

_____ Tambourine avec rythme sur la table ou le pupitre en travaillant.

_____ Est sensible aux bruits environnants (ex. : pluie sur le toit).

_____ Réagit favorablement à la musique.

_____ Chante des chansons apprises en dehors de la classe.

Autres forces musicales :

(_suite à la page suivante_)

Intelligence interpersonnelle

_____ Aime socialiser avec ses pairs.

_____ Semble être un leader naturel.

_____ Donne des conseils aux camarades qui éprouvent des difficultés.

_____ Semble être un enfant futé.

_____ Appartient à des clubs, des comités ou à d'autres organisations (pour le préscolaire, semble faire partie d'un groupe d'amis réguliers).

_____ Aime montrer des choses de façon non formelle aux autres enfants.

_____ Aime jouer avec les autres.

_____ A deux ou plusieurs amis proches.

_____ A un bon sens de l'empathie ou se préoccupe des autres.

_____ Les autres recherchent sa compagnie.

Autres forces interpersonnelles :

Intelligence intrapersonnelle

_____ Affiche un esprit d'indépendance ou une forte volonté.

_____ A une perception réaliste de ses forces et de ses faiblesses.

_____ Aime bien jouer ou étudier sans d'autres personnes.

_____ Semble avoir un style de vie et d'apprentissage différent des autres.

_____ A un champ d'intérêt ou un passe-temps dont il ou elle ne parle pas beaucoup.

_____ A un bon sens de l'autodiscipline.

_____ Préfère travailler de façon individuelle plutôt qu'avec d'autres.

_____ Exprime précisément ses sentiments.

_____ Est capable d'apprendre de ses échecs et de ses réussites.

_____ A une haute estime de soi.

Autres forces intrapersonnelles :

Il existe plusieurs autre méthodes pour évaluer les intelligences multiples des élèves. En voici six.

Rassembler des documents. La notation d'anecdotes ou d'observations n'est pas le seul moyen de se documenter sur les intelligences les plus fortes des élèves. Par exemple, les enseignants devraient garder un appareil photo de type Polaroïd à portée de la main pour prendre en photo les élèves qui mettent à l'œuvre leurs multiples intelligences. Ces photos sont particulièrement utiles pour conserver le souvenir d'un produit qui peut disparaître dans les minutes qui suivent, comme une structure géante de blocs de construction. Par ailleurs, si les élèves sont particulièrement habiles pour raconter des histoires ou pour chanter, on peut les enregistrer et garder la cassette comme document. Si d'autres réussissent bien en dessin ou en peinture, on peut garder des échantillons de leurs œuvres ou les prendre en photo. Si des élèves démontrent leurs talents au cours d'une partie de soccer ou d'une démonstration manuelle de réparation d'un appareil, captez leur performance sur une cassette vidéo. Ainsi, les données pour l'évaluation des IM seront constituées de plusieurs types de documents : des photos, des dessins, des échantillons de travaux scolaires, des cassettes audio et vidéo, des photocopies en couleurs, etc. De plus, les disques optiques compacts et les formats hypertexte permettent de conserver tous ces renseignements sur un seul disque que les professeurs, les administrateurs, les parents et les élèves eux-mêmes peuvent consulter. (Voir le chapitre 10.)

Examiner les résultats scolaires. Les résultats cumulatifs, si bidimensionnels et impersonnels qu'ils puissent paraître parfois, peuvent fournir des renseignements importants sur les intelligences multiples des élèves. Examinez les notes de l'élève au fil des années. Sont-elles considérablement plus élevées en mathématiques et en sciences naturelles qu'en littérature et en sciences sociales ? Si oui, il s'agit d'un indice de son inclination pour l'intelligence logico-mathématique plutôt que linguistique. Des notes élevées en arts et en dessin peuvent indiquer une intelligence spatiale bien développée, tandis que des A et des B en éducation physique et en travaux manuels peuvent révéler une compétence kinesthésique. De même, les résultats de certains tests peuvent parfois fournir de nouvelles données sur les intelligences des élèves. Par exemple, dans les tests d'intelligence des sous-tests mettent souvent en jeu l'intelligence linguistique (vocabulaire et catégories d'« information »), l'intelligence logico-mathématique (analogies et mathématiques) et l'intelligence spatiale (arrangement d'illustrations, schémas, etc.). Il existe de nombreux types de tests qui peuvent révéler de l'information sur des intelligences spécifiques. En voici quelques-uns :

- *Intelligence linguistique :* tests de lecture, de langue, les parties verbales de divers tests d'intelligence et du rendement.
- *Intelligence logico-mathématique :* évaluation piagétienne, tests de connaissances mathématiques, parties concernant le raisonnement dans les tests d'intelligence.
- *Intelligence spatiale :* tests de mémoire visuelle et de motricité visuelle, d'aptitude artistique, certains éléments de performance des tests d'intelligence.
- *Intelligence kinesthésique :* tests d'intelligence sensori-motrice, certains tests moteurs parmi la batterie de tests neuropsychologiques.
- *Intelligence interpersonnelle :* échelles de maturité sociale, sociogrammes, tests de projection interpersonnelle (ex. : schéma de la dynamique familiale).

- *Intelligence intrapersonnelle :* tests d'autoévaluation, tests de projection.

Les résultats scolaires peuvent également contenir des renseignements anecdotiques sur les intelligences multiples des élèves. Une des sources les plus importantes peut même être le bulletin rédigé par l'éducateur du jardin d'enfants. Souvent, cette personne est la seule à voir l'enfant fonctionner dans les sept intelligences. Par conséquent, des commentaires comme « aime la peinture », « bouge de façon gracieuse durant les périodes de musique et de danse » ou « construit de belles structures avec les blocs » peuvent donner des indices sur les propensions spatiale, musicale ou kinesthésique de l'enfant.

En révisant les résultats cumulatifs d'un élève, il peut être très pratique de les photocopier (avec la permission de l'école et des parents, bien sûr) et de souligner tous les renseignements positifs qui s'y trouvent, dont les notes les plus élevées, les résultats des tests et les commentaires positifs des autres enseignants. Ensuite, on peut inscrire tous les éléments feutrés sur une feuille distincte et la classer selon les intelligences. Cette méthode fournit des renseignements précieux sur les intelligences les plus importantes de chaque élève que l'on peut alors transmettre aux parents, aux enseignants et à l'administration.

Discuter avec d'autres professeurs. Si vous ne rencontrez les élèves qu'en classe de français ou de mathématiques, vous ne pouvez habituellement pas les voir démontrer leurs talents musicaux ou kinesthésiques (à moins, bien sûr, d'utiliser régulièrement les sept intelligences dans votre enseignement). Même si vous leur enseignez toutes les matières, vous pouvez recueillir des renseignements supplémentaires en consultant des spécialistes qui travaillent plus spécifiquement avec une ou deux intelligences. Par exemple, le professeur d'arts plastiques peut être le mieux placé pour parler de l'intelligence spatiale d'un élève ; la professeure d'éducation physique, de l'intelligence kinesthésique ; et le ou la psychologue, des intelligences personnelles (dans les limites du secret professionnel). Considérez vos collègues comme une source importante de données sur les intelligences multiples des élèves et rencontrez-les fréquemment pour comparer vos notes. Vous pourriez ainsi découvrir qu'un ou une élève qui semble fonctionner difficilement dans une classe excelle dans une classe qui demande un ensemble différent d'intelligences.

Parler aux parents. Les parents sont les vrais experts des intelligences multiples de leur enfant, car ils ont la chance de voir leur garçon ou leur fille apprendre et grandir dans un ensemble de circonstances mettant en jeu les sept intelligences. Par conséquent, ils devraient participer à l'établissement du profil des intelligences de l'enfant. Au cours des soirées de rencontre à l'école, il importe de présenter aux parents le concept des intelligences multiples et de leur donner des moyens particuliers d'observer et de noter les forces de leur enfant à la maison, à savoir l'utilisation d'albums, de cassettes audio et vidéo, de photos et des exemples d'histoires, de sketchs et d'objets qui révèlent un passe-temps ou un champ d'intérêt de l'enfant. Les parents pourront alors apporter à la prochaine rencontre des renseignements susceptibles d'aider l'enseignante ou l'enseignant à se faire une meilleure idée du style d'apprentissage de l'enfant.

Les Américains utilisaient l'expression : « six hour-retarded child » (enfant en retard de six heures) pour désigner un élève démontrant peu de potentiel dans la classe, mais qui était un vrai prodige en dehors de l'école, comme le président d'un groupe jeunesse, une personne à tout faire que les voisins venaient voir pour toutes sortes de réparations ou un entrepreneur accompli menant sa propre petite affaire en expansion. Il est essentiel de connaître ces aspects de l'élève pour établir des moyens visant à transférer ces talents de la maison à l'école.

Suggestion : Le lien famille-école est essentiel car il permet d'élaborer des stratégies pouvant aider un tel élève à transposer des succès, rencontrés à la maison, au domaine académique.

Interroger les élèves. Les élèves connaissent leur style d'apprentissage, car celui-ci fait partie de leur vie quotidinene depuis leur naissance. Après leur avoir présenté la notion d'intelligences multiples (*voir chapitre 4*), vous pouvez vous asseoir avec eux et les interroger afin de découvrir ce qu'*ils* considèrent comme leurs intelligences les plus fortes. La « pizza aux IM », présentée à la figure 4.1, peut être utilisée comme soutien pour prendre des notes à mesure que vous questionnez individuellement les élèves sur leurs habiletés dans chaque domaine. Vous pouvez également demander aux élèves de se dessiner en train de faire des choses associées à leurs intelligences les plus développées (approche spatiale) ; de classer leurs intelligences de 1 à 7, de la plus développée à la moins développée sur la pizza des IM, (approche logico-mathématique) ou de mimer leurs intelligences les plus développées (approche kinesthésique). Vous pouvez également avoir recours à certaines des activités du chapitre 4 pour obtenir des données sur les intelligences multiples des élèves.

Préparer des activités spéciales. Si vous utilisez régulièrement la notion d'intelligences multiples dans votre enseignement, vous avez alors beaucoup d'occasions d'évaluer ces intelligences. Par exemple, si vous enseignez les fractions de sept façons différentes, vous pouvez noter comment chaque enfant répond à chacune d'elles. L'enfant qui tombe presque endormi pendant la présentation logique peut s'éveiller quand l'explication kinesthésique commence, pour relâcher son attention quand la méthode musicale arrive. Les petites ampoules qui s'allument et s'éteignent durant la journée confirment l'existence de ces intelligences et reflètent les différences entre les membres d'une classe. De même, si vous préparez un centre d'activités pour chaque intelligence (*voir chapitre 7*), vous aurez l'occasion d'y observer les élèves au travail ou de constater vers quels centres se dirigent les enfants durant la séance d'activités libres. Puisque la perspective des IM sur l'évaluation (*voir chapitre 10*) est fondée sur une association étroite entre l'instruction et l'évaluation, plusieurs activités présentées aux chapitres 5 et 6 peuvent servir d'indicateurs diagnostiques aussi bien que d'activités pédagogiques.

Pour une étude plus approfondie

1. Remplisser le tableau 3.1 pour chaque élève de la classe puis noter les éléments pour lesquels il est impossible de répondre, par manque de renseignements. Déterminer ensuite les méthodes à utiliser pour obtenir ces renseignements (ex. : entrevue avec les parents ou les enfants, activités pratiques), afin de compléter l'inventaire. Est-ce que le fait de voir la vie des enfants sous l'angle de la théorie des IM change votre perception de chacun d'eux ? Comment ? En quoi les résultats de l'inventaire influencent-ils votre enseignement ?

2. Inscrire dans un journal les observations concernant les intelligences multiples des élèves. Si vous observez ceux-ci hors de la classe (ex. : en tant que surveillant à la récréation ou à l'heure du lunch), noter si leur comportement est le même qu'en classe. Quel indice des intelligences multiples de chaque élève ressort de ces données anecdotiques ?

3. Sélectionner une nouvelle façon de documenter l'information sur les intelligences multiples de vos élèves que vous n'avez pas encore essayée (ex. : photo, enregistrement audio ou vidéo), l'essayer puis noter comment il peut servir à donner et à communiquer de l'information sur les intelligences multiples des élèves.

4. Demander aux élèves d'indiquer leurs intelligences préférées à l'aide d'un ou de plusieurs des moyens suivants : rédaction, dessin, pantomime, discussion de groupe, entrevue. S'assurer d'abord de leur présenter la théorie à l'aide de certaines activités décrites au chapitre 4.

5. Pendant les rencontres parents-enseignants, réserver une période pour
    recueillir des renseignements sur les intelligences multiples de chaque
    élève à la maison.

6. Réviser les dossiers cumulatifs des élèves, en vous concentrant sur les
    données qui suggèrent une propension particulière à l'une ou plusieurs
    des sept intelligences. Si possible, en obtenir des copies, feutrer les
    « forces » et les transcrire sur une autre feuille. Distribuer ces « profils
    des forces » à la prochaine réunion portant sur l'apprentissage des élè-
    ves.

7. Discuter avec les autres enseignants des intelligences multiples des
    élèves. Prévoir un moment pour que les enseignants responsables des
    différentes intelligences dans l'école (ex. : les enseignants de mathé-
    matiques, de travaux manuels, d'arts plastiques, de littérature et de
    musique) puissent réfléchir sur les performances des élèves dans
    chaque contexte d'apprentissage.

4 Renseigner les élèves sur la théorie des intelligences multiples

Donnez-moi un poisson et je mangerai aujourd'hui.
Enseignez-moi à pêcher et je mangerai toute ma vie.
[Traduction libre]

— Proverbe

UN DES ASPECTS LES PLUS UTILES de la théorie des IM est que l'on peut l'expliquer à un groupe d'enfants aussi jeunes que ceux de la 1re année, cela en cinq minutes et de telle manière qu'ils peuvent en emprunter le vocabulaire pour parler de leur façon d'apprendre. Tandis que beaucoup d'autres théories du style d'apprentissage renferment des termes et des acronymes que les adultes comprennent difficilement, encore moins les enfants, les sept intelligences renvoient à des notions concrètes et connues des jeunes et des moins jeunes : mots, nombres, images, corps, musique, autres et soi.

Une recherche récente sur la psychologie cognitive appliquée à l'éducation confirme que les enfants retirent des bénéfices d'une approche pédagogique qui leur permet de réfléchir sur leur propre processus d'apprentissage (*voir Marzano 1988*). Quand les enfants sont engagés dans ce type d'activité métacognitive, ils peuvent choisir les stratégies appropriées pour résoudre des problèmes. Ils peuvent également mieux se tirer d'affaires quand ils se trouvent dans un nouveau contexte d'apprentissage.

Une présentation de cinq minutes de la théorie des IM

Comment présenter la théorie des intelligences multiples à un groupe d'élèves ? Naturellement, la réponse à cette question variera selon le nombre d'élèves impliqués, le niveau des élèves, leurs antécédents et les ressources pédagogiques disponibles. Cependant, la façon la plus directe de procéder est de l'expliquer simplement aux élèves. Pour ma part, quand j'entre dans une nouvelle salle de classe pour démontrer comment enseigner selon la méthode des intelligences multiples, je fais d'abord une brève présentation de cinq minutes de la théorie pour situer les élèves en contexte afin les aider à comprendre le but de ma présence. Je commence habituellement en leur demandant : « Quels sont ceux qui pensent être intelligents ? » J'ai découvert que le nombre de mains levées semble être inversement proportionnel à l'année d'enseignement de la classe ; en d'autres mots, plus le niveau scolaire est bas, plus il y a de mains levées et plus le niveau scolaire est élevé, moins il y a de mains levées. Que faisons-nous durant ces années pour les convaincre qu'ils ne sont pas intelligents ?

Sans tenir compte du nombre de mains levées, je dis habituellement : « Vous êtes tous intelligents — et pas seulement d'une façon. » Je dessine alors une « pizza aux IM » (un rond divisé en sept pointes) sur le tableau et je commence à expliquer le modèle. « D'abord, il y a quelque chose qui s'appelle « être habile avec les mots. » J'utilise des termes simples pour décrire les intelligences, car des mots comme « linguistique » sont compliqués pour beaucoup d'enfants. De plus, j'accompagne chaque terme d'un symbole graphique pour y apporter un élément spatial (voir figure 4.1). Je pose ensuite la question : « Combien d'entre vous peuvent parler ? » Habituellement, beaucoup de mains se lèvent ! « Bien, pour parler, il faut utiliser des mots. Donc chacun de vous est habile avec les mots ! » « Combien d'entre vous peuvent écrire ? » « Il faut aussi des mots pour cela. Donc encore, vous êtes tous habiles avec les mots. » Il s'agit de poser essentiellement des questions qui favorisent l'*inclusion*. Autrement dit, il faut éliminer les questions qui peuvent exclure un grand nombre d'élèves, comme « Combien d'entre vous ont lu 50 livres le mois passé ? » Le présent modèle n'a pas pour but de déterminer de quel groupe exclusif chacun fait partie, mais de valoriser *tous* les potentiels d'apprentissage de chacun. Autrement, ce serait donner aux élèves l'occasion de dire : « Je n'ai pas à lire ce livre parce que je ne suis pas vraiment habile avec les mots. »

Voici des termes simples et certaines questions qui peuvent être utilisés pour présenter chacune des intelligences.

FIGURE 4.1

Pizza aux IM

Intelligence linguistique : habile avec les mots (*voir questions suggé-rées précédemment dans le texte*).

Intelligence logico-mathématique : habile avec les nombres ou habile avec la logique.

- « Combien d'entre vous peuvent faire des mathématiques ? »
- « Quels sont ceux d'entre vous qui ont déjà fait une expérience scientifique ? »

Intelligence spatiale : habile avec les images.

- « Combien d'entre vous dessinent ? »
- « Combien d'entre vous peuvent voir des images dans leur tête quand ils ferment les yeux ? »
- « Combien d'entre vous aiment regarder des images à la télévision, au cinéma ou dans un jeu vidéo ? »

Intelligence kinesthésique : habile avec son corps, habile dans les sports ou habile de ses mains (utiliser plusieurs termes pour toucher différents aspects de cette intelligence).

- « Combien d'entre vous aiment les sports ? »
- « Quels sont ceux qui aiment fabriquer des choses de leurs mains, comme des maquettes ou des structures en blocs de construction ? »

Intelligence musicale : habile en musique.

- « Combien d'entre vous aiment écouter de la musique ? »
- « Combien d'entre vous ont déjà joué d'un instrument de musique ou chanté une chanson ? »

Intelligence interpersonnelle : habile avec les autres.

- « Combien d'entre vous ont au moins un ou une camarade ? »
- « Combien d'entre vous aiment travailler en groupe au moins une partie du temps à l'école ? »

Intelligence intrapersonnelle : habile avec soi.

- « Combien d'entre vous ont un endroit secret ou spécial où aller quand ils veulent être loin des autres et de tout ? »
- « Combien d'entre vous aiment passer au moins une partie du temps à travailler de façon individuelle en classe ? »

Bien sûr, il est possible de formuler vos propres questions. Assurez-vous toutefois que celles-ci favorisent l'*inclusion* et donnent la chance à tous les enfants de se percevoir comme intelligents. Vous pouvez également donner des exemples de ce que Howard Gardner appelle des performances exceptionnelles pour chaque intelligence ; c'est-à-dire des gens qui ont développé une des sept intelligences à un niveau élevé de compétence. Ces exemples fournissent un modèle qui inspire les élèves et auquel ils peuvent aspirer. Choisissez des personnages célèbres et des héros qu'ils connaissent. En voici quelques exemples :

- *Habile avec les mots :* auteurs de livres pour enfants que vous avez lus en classe.

- *Habile avec les nombres et avec la logique :* scientifiques célèbres que les élèves ont étudiés en classe.

- *Habile avec les images :* illustrateurs de livres pour enfants, bédéistes et cinéastes célèbres.

- *Habile avec son corps :* athlètes et acteurs célèbres.

- *Habile en musique :* célébrités du rock, du rap et d'autres musiciens.

- *Habile avec les autres :* animateurs d'émissions télévisées du genre *talk shows*, politiciens.

- *Habile avec soi :* entrepreneurs célèbres (personnes qui ont réussi par eux-mêmes).

Activités pour l'enseignement de la théorie des IM

Vous voudrez naturellement aller plus loin que la simple explication verbale du modèle et vous vous efforcerez d'enseigner celui-ci en utilisant les sept intelligences. Il existe de nombreux moyens de présenter le modèle ou de faire suivre la présentation de cinq minutes d'activités ou d'expériences complémentaires. Voici quelques suggestions :

Journée carrière. Si vous invitez régulièrement des membres de la communauté à parler de leur travail en classe, commencez à insérer cette activité dans un contexte d'intelligences multiples. Par exemple, invitez un éditeur à venir parler des activités qui nécessitent une « habileté avec les mots » dans son travail, un conseiller fiscal à expliquer comment il utilise son « habileté avec les nombres » pour aider les gens ou encore un architecte à expliquer l'importance d'être « habile avec les images » dans sa carrière. D'autres journées carrière peuvent mettre en scène un athlète (habile avec son corps), un musicien professionnel (habile en musique), un conseiller (habile avec les autres) et une personne qui a ouvert sa propre entreprise (habile avec soi). Rappelez-vous toutefois que chaque carrière met généralement en jeu plusieurs intelligences, et profitez-en pour expliquer comment chaque métier fait appel à une combinaison précise d'intelligences. Ces présentations sont extrêmement importantes pour rappeler aux élèves que chacune des intelligences joue un rôle important dans le succès des gens dans le monde. De plus, il peut être intéressant d'expliquer le modèle aux invités avant les présentations de sorte qu'ils puissent en tenir compte dans leurs exposés ou encore après leurs présentations, de faire le lien entre ce qu'ils ont dit ou fait et l'une ou plusieurs des sept intelligences.

Les sorties. Amenez les élèves à des endroits où chacune des intelligences est particulièrement valorisée et pratiquée. Il pourrait s'agir d'une bibliothèque (habileté avec les mots), d'un laboratoire de sciences (habileté avec la logique), d'une manufacture (habileté avec ses mains), d'une station de radio qui diffuse de la musique (habileté en musique), d'un service de relations publiques (habileté avec les autres) ou du bureau d'un ou d'une psychologue (habileté avec soi). Le fait de voir ces intelligences en contexte permet aux élèves de se faire une idée plus précise de l'application de la théorie des IM dans la « vraie vie », ce que ne pourrait jamais faire un exposé en classe.

Les biographies. Demandez aux élèves d'étudier la vie de personnes célèbres qui se sont dévouées dans l'une ou l'autre des intelligences (*voir Gardner 1993b*). Ces études pourraient porter sur Gabrielle Roy (habile avec les mots), Marie Curie (habile avec la logique), Vincent Van Gogh (habile avec les images), Wayne Gretzky (habile avec son corps), George Gershwin (habile en musique), Martin Luther King (habile avec les autres) et Sigmund Freud (habile avec soi). Il importe toutefois de s'assurer que les gens étudiés sont représentatifs de la diversité culturelle, raciale et ethnique des élèves. *(Voir p. 163 du chapitre 13 pour des exemples multiculturels de gens célèbres et p. 137 du chapitre 11, pour des exemples de gens célèbres dans chaque intelligence qui ont surmonté des handicaps particuliers.)*

La planification des cours. Donnez un cours sur un sujet ou présenter une compétence particulière en procédant de sept manières différentes (voir chapitre V pour la création de cours avec les IM). Expliquez d'abord aux élèves que vous allez donner la matière en ayant recours à chacune des sept intelligences et demandez-leur de porter une attention particulière sur la façon dont celles-ci sont exploitées. Après le cours, demandez-leur de décrire comment vous avez utilisé chaque intelligence. Cette activité amène les élèves à réfléchir sur les processus spécifiques à chaque intelligence et renforce leurs habilités métacognitives. Vous pouvez également leur demander quelles méthodes d'enseignements ils ont préférées. De cette manière, vous les amenez à découvrir quelles sont leurs stratégies préférées pour apprendre.

Les activités pratiques rapides. Une façon pratique de présenter la théorie des IM est de demander aux élèves de faire sept activités respectivement associées à chaque intelligence. Par exemple, vous pouvez demander aux élèves d'écrire (ex. : d'écrire un court poème qu'ils connaissent), de faire des mathématiques (ex. : de dire à combien de temps correspond un million de secondes), de dessiner (ex. : de dessiner un animal), de courir (ex. : de sortir et de courir jusqu'au prochain carrefour puis de revenir), de chanter (ex. : de chanter ensemble *Frère Jacques*), d'échanger (ex. : de trouver un ou une partenaire et de raconter une bonne chose qui est arrivée cette semaine) et de réfléchir (ex. : de fermer les yeux et de penser au moment le plus heureux de leur vie, sans le raconter). Adaptez ces activités au niveau d'habileté des élèves de sorte que tout le monde puisse les faire et proposez une version modifiée à ceux qui ne le peuvent pas. Vous pouvez utiliser cette méthode avant ou après l'explication des sept types d'habiletés. N'oubliez pas de demander aux élèves quelles activités ils préfèrent et de relier chacune d'elles à l'une (ou plusieurs) des sept intelligences.

Les affiches murales. Il est fréquent de trouver une affiche d'Albert Einstein au mur dans une salle de classe américaine. Einstein représente probablement bien les intelligences multiples, car il en a utilisé plusieurs dans son travail, notamment les intelligences spatiale, kinesthésique et logico-mathématique. Cependant, au lieu d'afficher une photo d'Albert Einstein, pensez à afficher sept photos de personnes qui se sont distinguées par l'une de leurs sept intelligences (*Voir Gardner 1993b et section « Les biographies » aux pages 41 et 42 du même ouvrage.*) Vous pouvez aussi suspendre une bannière sur laquelle serait cité un énoncé du genre « Sept moyens d'apprendre » ou « Voici comment nous apprenons à l'école », accompagnée de photos montrant les élèves utilisant chacune des sept intelligences.

L'étalage. Proposez en classe des œuvres des élèves qui ont nécessité l'utilisation respective des sept intelligences. Il peut s'agir d'essais, d'histoires ou de poèmes (habileté avec les mots), de programmes informatiques (habileté avec la logique), de dessins et de peintures (habileté avec les images), de partitions de musique (habileté en musique), d'objets en trois dimensions (habileté avec son corps), de travaux d'équipe (habileté avec les autres) ou de travaux individuels (habileté avec soi). Vous pouvez les disposer sur une tablette, dans un compartiment en verre ou sur une table et en faire régulièrement la rotation pour que tous les élèves aient la chance d'afficher leurs œuvres. Étiquettez les œuvres pour indiquer les intelligences qui ont été exploitées dans la production de chaque objet.

La lecture. Si les élèves sont plus âgés, vous pouvez leur proposer de lire quelques-uns des ouvrages (livres ou articles) de plus en plus nombreux qui traitent de la théorie des intelligences multiples, dont certains chapitres de *Frames of Mind* (Gardner)*, 7 Kinds of Smart* et *In Their Own Way* (Armstrong) et *Seven Ways of Knowing* (Lazear).

Les tables des IM. Installez sept tables dans la classe, chacune d'elles portant le nom de l'une des sept intelligences. Sur chacune, déposez une carte présentant la tâche que les élèves doivent accomplir. Par exemple, à la table *habileté avec les mots*, les élèves doivent faire une rédaction ; à la table *habileté avec les nombres*, une tâche de mathématiques ou de sciences ; à la table *habileté avec les images*, un dessin ; à la table *habileté avec le corps*, une activité de construction ; à la table *habileté en musique*, une activité musicale ; à la table *habileté avec les autres*, une tâche de coopé- ration et ; à la table *habileté avec soi*, une tâche individuelle. Demandez aux élèves de se diriger vers la table qui, à leurs avis, représente leur intel- ligence la plus développée (sans leur indiquer les tâches à accomplir car ils choisiraient la table selon l'activité), invitez-les à compléter la tâche pen- dant un certain temps (peut-être cinq minutes), puis, au signal sonore (ex. : une cloche), proposer-leur de passer à la table suivante (en se déplaçant dans le sens horaire). Poursuivez l'activité jusqu'à ce que les élèves aient essayé les sept tâches. Discutez ensuite des préférences de chacun et ame- nez les élèves à faire un lien entre chaque tâche et l'intelligence appro- priée. Au chapitre 7, vous verrez davantage comment préparer des centres d'activités conformément à la théorie des intelligences multiples.

La chasse à l'intelligence humaine. Si vous présentez la théorie des IM au début de l'année, quand les élèves ne se connaissent pas encore bien, une « chasse à l'intelligence humaine » peut être un moyen pratique d'enseigner les sept intelligences tout en permettant aux élèves de faire davantage connaissance. Cette activité est fondée sur le fait que chacun de nous est un « coffre au trésor » rempli de talents spéciaux : les sept intelli- gences. Précisez que nous ignorons les talents des autres et qu'il faut par- fois faire une « chasse au trésor » (une « chasse aux intelligences ») pour les découvrir. Il s'agit donc de remettre à chaque élève une liste d'activités comme celle du tableau 4.1, et de les inviter, à votre signal, à trouver d'autres élèves dans la classe qui peuvent accomplir les tâches qui y sont inscrites. Donnez aux élèves les trois règles à suivre au cours de l'activité :

1. Il faut réellement *accomplir* les épreuves inscrites et non simplement dire qu'on peut les faire.

2. Quand un ou une élève a réussi une tâche que lui proposait le « chas- seur », il ou elle écrit ses initiales à côté de l'activité accomplie, sur la feuille du « chasseur ».

3. Les « chasseurs » ne peuvent demander qu'une seule tâche par per- sonne. Cela signifie que, pour terminer la chasse aux intelligences, chaque élève aura recueilli sept ensembles d'initiales différents sur sa feuille.

TABLEAU 4.1

La chasse à l'intelligence humaine

Trouve quelqu'un qui peut :

_____ siffler quelques notes de la Cinquième Symphonie de Beethoven.

_____ se tenir sur un pied, les yeux fermés, pendant cinq secondes.

_____ réciter au moins quatre ligne d'un poème.

_____ faire un plan rapide pour expliquer le fonctionnement d'un moteur électrique.

_____ raconter brièvement un rêve qu'il a fait au cours des deux dernières semaines.

_____ continuer la séquence numérique 36, 30, 24, 18, _____ et expliquer la logique de son résultat.

_____ dire honnêtement qu'il se sent à l'aise avec les autres durant cette activité.

Vous pouvez bien sûr *adapter* les épreuves suggérées dans le tableau 4.1 aux aptitudes et aux habiletés de vos élèves. Par exemple, si vos élèves sont très jeunes, vous pouvez remplacer la Cinquième Symphonie de Beethoven par la chanson « Au Clair de la lune ». Vous pouvez également créer une chasse basée sur des illustrations, où les élèves trouveraient des gens de la classe qui aiment particulièrement faire les activités décrites par chaque illustration. Après l'activité, n'oubliez pas d'amener les élèves à faire le lien entre chaque épreuve et l'intelligence appropriée et à discuter de ce qu'ils et celles ont appris sur les intelligences ou les talents des autres.

Les jeux de société. Vous pouvez créer un jeu de société maison, basé sur les sept intelligences. Procurez-vous un carton et un crayon-feutre, puis tracez un chemin sinueux divisé en nombreux petits carrés. Attribuez une couleur à chaque intelligence, puis dessinez le symbole d'une intelligence, de la couleur appropriée, sur chaque carré du jeu. Vous pouvez utiliser les symboles proposés dans la figure 4.1 ou créer les vôtres. Fabriquez sept ensembles de cartes mesurant 5 cm sur 8 cm, et attribuez à chaque ensemble une des couleur données aux sept intelligences. Inscrivez ensuite sur les cartes des tâches qui mettent en jeu l'intelligence correspondante. Voici des exemples d'activités pour l'habileté avec les images qui pourraient être proposées aux élèves du primaire :

- Dessinez un chien en moins de trente secondes.
- Trouvez un objet rond dans la classe.
- Dites-nous votre couleur préférée.

- Nommez quatre objets bleus présents dans la classe.
- Fermez les yeux et décrivez les images que vous voyez.

Assurez-vous que la plupart des tâches se situent dans les limites de ce que les élèves peuvent faire. Finalement, trouvez une paire de dés et quelques figurines de plastique en guise de jetons, puis commencez la partie !

Les histoires, les chansons ou les sketchs relatifs aux IM. Faites preuve de créativité et créez votre propre histoire, chanson ou sketch pour transmettre la notion des intelligences multiples (les élèves peuvent vous aider). Par exemple, vous pouvez créer une histoire mettant en scène sept enfants, chacun excellant dans une intelligence particulière, qui ne s'entendent pas bien et qui sont projetés dans une aventure qui les oblige à se rendre dans des pays magiques éloignés. Dans chaque pays, ces enfants font face à des défis qui font appel à une des sept l'intelligences, donc à un enfant du groupe. Par exemple, quand les enfants arrivent dans le pays où les gens doivent communiquer en chantant pour être compris, l'enfant musical les guide. Dans un autre pays, ils tombent dans un trou et réussissent à en sortir grâce à l'enfant qui est habile avec son corps. À la fin de l'histoire, ils peuvent tous accomplir leur tâche (qui peut être la récupération d'un bijou en or), car ils ont misé sur les talents ou les intelligences des sept enfants.

Cette histoire peut servir de métaphore pour illustrer la façon de se conduire en classe : nous devons respecter et trouver des moyens de valoriser les talents et les dons de chaque élève. Une telle histoire peut prendre la forme d'une pièce de théâtre, d'un spectacle de marionnettes ou d'un morceau de musique que les élèves pourraient présenter aux autres élèves de l'école.

De nombreuses autres activités peuvent aider à enseigner la théorie des intelligences multiples. Un tel projet peut constituer un processus continu qui s'échelonne sur toute l'année. Après avoir présenté quelques activités, il peut être utile de mettre en évidence une affiche qui donne la liste des sept intelligences et qui pourrait avoir la forme de la pizza aux IM de la figure 4.1. Ainsi, quand un événement semble être lié à l'une des sept intelligences, l'affiche pourrait être utilisée pour mettre l'accent sur cette relation. Par exemple, si plusieurs élèves expriment le désir de travailler ensemble sur un projet, vous pouvez souligner qu'ils veulent utiliser leur « habileté avec les autres ». Si un ou une élève a conçu une illustration visuelle particulièrement pertinente dans le cadre d'un travail, vous pouvez souligner qu'il ou elle a réellement employé son « habileté avec les images ». En adaptant une utilisation pratique et fréquente de la théorie des IM aux activités quotidiennes de la classe, vous aiderez les élèves à assimiler cette théorie et vous devriez commencer à les entendre en utiliser le vocabulaire pour expliquer les éléments de leur vie d'apprenants.

Pour une étude plus approfondie

1. À l'aide du contenu du présent chapitre ou des activités de votre choix, trouver un moyen de présenter la théorie des intelligences multiples aux élèves. Noter leurs premières réactions, puis continuer avec des activités supplémentaires. Combien de temps cela prend-il pour que les élèves utilisent les termes eux-mêmes ? Noter deux ou trois exemples qui traduisent comment les élèves utilisent le modèle pour expliquer leurs méthodes d'apprentissage.

2. Créer une mini-unité ou un cours spécial sur « l'apprentissage de l'apprentissage » qui comprend un exposé sur la théorie des intelligences multiples. Prévoir de la lecture, des exercices, des activités et des stratégies conçues pour aider les élèves à comprendre leurs styles d'apprentissage, de sorte qu'ils puissent apprendre plus efficacement.

3. Concevoir une affiche murale spéciale, un tableau ou une aire d'exposition où les sept intelligences sont valorisées et respectées. Exposez des photos de gens célèbres, des photos d'élèves en train de faire une activité relative aux IM, divers objets faits par les élèves et dont la fabrication a nécessité chacune des sept intelligences.

5 Les intelligences multiples et l'élaboration du programme d'études

Nous ne voyons pas, dans nos descriptions [des activités de la classe]… beaucoup d'occasions pour les élèves de s'engager au niveau cognitif et d'employer toutes leurs habiletés intellectuelles. On peut donc s'interroger sur la pertinence de ce que peuvent acquérir les élèves qui restent assis, à écouter attentivement en classe ou à exécuter des exercices relativement répétitifs, année après année. Une partie du cerveau, appelée « cerveau de Magoun », est stimulée par la nouveauté. Or, il m'a été donné de constater que les élèves qui passent douze ans dans les écoles sur lesquelles a porté notre étude n'auront que rarement la chance de se frotter à de la nouveauté. Cela signifie-t-il alors qu'une partie de leur cerveau restera endormie ? [Traduction libre]

— John I. Goodlad (1984, p. 231)

LA PLUS GRANDE CONTRIBUTION DE LA THÉORIE DES IM à l'éducation est la proposition selon laquelle les enseignants doivent élargir leur répertoire de techniques, d'outils et de stratégies et déborder des domaines linguistiques et logiques qui prévalent dans les salles de classe américaines. Selon le projet original de John Goodlad, « A Study of Schooling », dans lequel des chercheurs ont observé plus de 1000 salles de classe à travers les États-Unis, près de 70 % du temps en classe est occupé par l'enseignante ou l'enseignant qui parle principalement aux élèves (ex. : donner des consignes, des explications et présenter des exposés ou des cours magistraux).

Au chapitre du temps alloué, la deuxième activité en importance est le travail écrit effectué par les élèves. Selon Goodlad (1984, p. 230), « la plupart de ce travail consiste à répondre à des directives dans des cahiers ou sur des feuilles d'activités ». Dans ce contexte, la théorie des intelligences multiples ne constitue pas seulement un remède à l'unilatéralité de l'enseignement, mais aussi un « métamodèle » qui permet d'organiser et de synthétiser toutes les innovations pédagogiques qui ont cherché à éclore de cette conception étroite de l'apprentissage. Ce faisant, cette théorie fournit une grande diversité d'approches pédagogiques pouvant « réveiller » les cerveaux somnolants qui, selon Goodlad, peuplent les écoles américaines.

Les antécédents historiques de l'enseignement à intelligence multiple

Le concept des intelligences multiples n'est pas nouveau en philosophie de l'éducative. Même Platon semblait sensibilisé, d'une certaine façon, à l'importance de ce type d'enseignement quand il a écrit : « … n'utilisez pas la contrainte, laissez plutôt les premiers moments de l'éducation être une sorte d'amusement ; vous serez plus en mesure de déceler les inclinations naturelles ». (Platon 1952) Plus récemment, pratiquement tous les pionniers de l'éducation moderne ont mis au point des systèmes d'enseignement fondés sur autre chose que l'enseignement magistral. Le philosophe du XVIIIe siècle, Jean-Jacques Rousseau, a déclaré dans son traité classique sur l'éducation, *Émile*, que l'enfant doit apprendre non pas par les mots, mais par l'expérience ; non pas par les livres, mais par le « livre de la vie ». Le réformateur suisse, Johann Heinrich Pestalozzi, a prôné un programme intégré qui tenait compte d'une éducation physique, morale et intellectuelle solidement basée sur des expériences concrètes. De plus, le fondateur des jardins d'enfants modernes, Friedrich Froebel, a proposé un programme qui consistait en expériences manuelles avec des objets (« talents »), en jeux, en chants, en jardinage et en soins des animaux. Au XXe siècle, des gens innovateurs comme Maria Montessori et John Dewey ont mis en place des systèmes pédagogiques fondés sur des techniques apparentées aux intelligences multiples ; mentionnons les lettres tactiles de Montessori et d'autre matériel d'apprentissage autonome, ainsi que la vision d'une classe de Dewey, qui fonctionne comme une micro-société.

Dans la même ligne de pensée, de nombreux autres modèles pédagogiques alternatifs se sont révélés essentiellement des systèmes à intelligences multiples qui utilisent des terminologies différentes (et une application à divers niveaux des différentes intelligences). L'apprentissage coopératif, par exemple, semble principalement mettre l'accent sur l'intelligence inter-personnelle, bien que certaines activités puissent également mettre en jeu d'autres intelligences. De même, le cœur de l'éducation psycholinguis-tique consiste à cultiver l'intelligence linguistique, bien que cette approche fasse appel aux activités pratiques, à l'introspection (la rédaction d'un journal) et aux travaux en groupe pour atteindre ses objectifs fondamen-taux. La suggestopédie, une méthode pédagogique élaborée par le psy-chiatre bulgare Georgi Lozanov, repose sur l'utilisation du théâtre et des éléments visuels pour stimuler le potentiel d'apprentissage des élèves, tout en accordant une place prépondérante à la musique dans la facilitation de l'apprentissage, le fait d'écouter de la musique faisant partie intégrante de l'éducation des élèves.

La théorie des IM regroupe essentiellement les pratiques pédagogiques efficaces déjà utilisées par les bons enseignants : déborder du texte et du tableau noir pour éveiller l'esprit des élèves. Cette notion a été exploitée dans deux films récents qui mettaient en scène de grands professeurs, à savoir *Stand and Deliver* (1987) et *La société des poètes disparus* (1989). Dans le premier, Jaime Escalante (interprété par Edward James Olmos), professeur hispanophone enseignant les mathématiques au secondaire, uti-lise des pommes pour présenter les fractions, les doigts pour enseigner la multiplication ainsi que l'imagerie et la métaphore pour expliquer les nombres négatifs (si l'on creuse un trou dans la terre, le trou représente les nombres négatifs ; le monticule de terre juste à côté, les nombres positifs). Dans *La société des poètes disparus*, John Keating (incarné par Robin Williams) est ce nouveau professeur qui demande aux élèves de lire des passages littéraires en frappant sur un ballon de soccer et en écoutant de la musique classique. Dans le même sens, la théorie des IM fournit à *tous* les enseignants le moyen de réfléchir sur leurs meilleures méthodes d'ensei-gnement et d'en comprendre l'efficacité (pourquoi elles fonctionnent avec certains élèves et non avec d'autres). Elle les aide également à élargir les horizons de leur enseignement, en y incluant d'autres méthodes, du nou-veau matériel et de nouvelles techniques afin d'atteindre une quantité tou-jours plus grande et plus diversifiée d'apprenants.

L'enseignement fondé sur les IM

L'enseignement basé sur la théorie des IM diffère radicalement de l'enseignement traditionnel. Dans cette dernière méthode, l'enseignante ou l'enseignant fait un exposé en se tenant devant la classe, écrit au tableau, pose des questions sur la lecture et devoirs donnés, puis attend que les élèves finissent leurs travaux écrits. Dans la classe à IM, la personne qui enseigne a recours à plusieurs méthodes : elle passe de la présentation linguistique à spatiale, puis à musicale, et ainsi de suite, combinant souvent les intelligences de façon créative.

Bien sûr, tout en choisissant l'enseignement à IM, cette personne peut passer une partie du temps à parler et à écrire au tableau devant la classe, ce qui est, après tout, une technique d'enseignement légitime, mais généralement trop utilisée. Ce qui distingue cette personne des enseignants traditionnels, c'est qu'elle fait des dessins au tableau, elle fait visionner des cassettes vidéo pour illustrer une notion, elle met souvent de la musique à un moment de la journée, que ce soit pour établir les étapes d'un objectif, soulever un point ou créer une certaine ambiance. L'enseignante ou l'enseignant à IM utilise les expériences pratiques, ce qui amène parfois les élèves à se lever et à se déplacer, fait circuler un objet pour illustrer la matière étudiée ou encore demande aux élèves de construire quelque chose de tangible pour s'assurer de leur compréhension. Il incite ses élèves à interagir de différentes façons (ex. : à deux, en petits groupes, en grands groupes). Il prévoit également du temps pour permettre aux élèves de s'engager dans une réflexion personnelle, d'entreprendre un travail individuel ou de faire le lien entre leurs expériences, leurs sentiments personnels et la matière étudiée.

Les caractéristiques de chacun des deux types d'enseignement ne doivent toutefois pas cloisonner les dimensions pédagogiques de la théorie des IM, laquelle peut être implantée dans un large éventail de contextes pédagogiques, allant de l'enseignement le plus traditionnel, où les enseignants passent la plupart du temps à enseigner aux élèves, jusqu'aux environnements ouverts, où les élèves régissent la majeure partie de leur apprentissage. Même l'enseignement traditionnel peut être fait de façon à stimuler les sept intelligences. Par exemple, l'enseignante ou l'enseignant qui fait ses exposés en ajoutant du rythme (intelligence musicale), en traçant des dessins au tableau pour illustrer une notion (intelligence spatiale), en faisant des gestes théâtraux (intelligence kinesthésique), en faisant des pauses pour permettre aux élèves de réfléchir (intelligence intrapersonnelle) et en posant des questions qui favorisent les interactions animées (intelligence interpersonnelle) utilise les principes des IM dans une perspective centrée sur lui-même ou elle-même.

Matériel et méthodes clés de l'enseignement à IM

Il y a un certain nombre d'outils pédagogiques dans la théorie des IM qui dépassent de loin la méthode de l'enseignant-conférencier. Le tableau 5.1 donne un bref résumé des méthodes d'enseignement relatives aux IM. La

TABLEAU 5.1

Les « sept façons d'enseigner » relatives aux IM

Intelligence	Activités pédagogiques	Matériel pédagogique	Stratégies d'enseignement
Linguistique	exposés, discussions, jeux de vocabulaire, récits, lecture en chœur, rédaction d'un journal, etc.	livres, cassettes, machines à écrire, tampons encreurs, livres et cassettes, etc.	lire, écrire, écouter et parler
Logico-mathématique	énigmes, résolution de problèmes, expériences scientifiques, calcul mental, jeux de chiffres, pensée critique, etc.	calculatrices, matériel concret en mathématiques, matériel scientifique, jeux de mathématiques, etc.	quantifier, critiquer, conceptualiser
Spatiale	présentations visuelles, activités artistiques, jeux d'imagination, représentation mentale, métaphores, visualisation, etc.	graphiques, cartes géographiques, vidéo, cubes de construction, matériel pour les arts visuels, illusions d'optique, caméras, collections de photos, etc.	voir, dessiner, visualiser, colorier, se faire une représentation mentale
Kinesthésique	apprentissage actif, théâtre, danse, sports instructifs, activités tactiles, relaxation, etc.	outils de construction, glaise, matériel sportif, objets de manipulation, objets d'apprentissage tactile, etc.	construire, jouer, toucher, ressentir, danser
Musicale	apprentissage intensif, rap, chansons instructives, etc.	magnétophone, cassettes, instruments de musique, etc.	chanter, rapper, écouter
Interpersonnelle	apprentissage coopératif, enseignement mutuel, participation en classe, rassemblements sociaux, simulations, etc.	jeux de table, matériel de fête, accessoires pour les jeux de rôles, etc.	enseigner, collaborer, interagir
Intrapersonnelle	enseignement individualisé, étude indépendante, options en cours d'étude, affirmation de l'estime de soi, etc.	matériel d'autoévaluation, journaux, matériel pour des projets, etc.	faire un lien avec sa vie personnelle, faire des choix personnels

Intelligence	Échantillon du mouvement pédagogique (intelligence dominante)	Échantillon des outils de présentation	Activités pour amorcer une leçon
Linguistique	approche psycholinguistique	enseignement par le conte	long texte au tableau
Logico-mathématique	pensée critique	questionnement socratique	présentation d'un paradoxe logique
Spatiale	enseignement des d'arts intégré	concepts de dessin et de représentation mentale	image inhabituelle reproduite à l'aide d'un rétroprojecteur
Kinesthésique	apprentissage manuel	utilisation de la gestuelle et de l'expression dramatique	objets mystérieux qui circulent dans la classe
Musicale	suggestopédie	utilisation rythmée de la voix	pièce musicale pour accueillir les élèves dans la classe
Interpersonnelle	apprentissage coopératif	interaction dynamique avec les élèves	partage avec un voisin
Intrapersonnelle	enseignement individualisé	apport des *émotions* dans la présentation	réflexion, les yeux fermés, sur un moment de sa vie

liste qui suit fournit un ensemble plus vaste, mais toujours incomplet, des techniques et du matériel pouvant servir à l'enseignement à intelligences multiples. Les éléments inscrits en lettres majuscules seront approfondis au chapitre 6.

Intelligence linguistique

- exposés
- discussions en grands ou en petits groupes
- livres
- feuilles d'activités
- manuels scolaires
- REMUE-MÉNINGES
- rédaction
- jeux de vocabulaire
- échange
- expression orale
- RÉCITS
- livres-cassettes et cassettes
- discussions improvisées
- débats
- TENUE D'UN JOURNAL
- lecture en chœur
- lecture individuelle
- lecture devant la classe
- méthodes mnémotechniques linguistiques
- ENREGISTREMENT DU DISCOURS DE QUELQU'UN
- traitement de textes
- PUBLICATION (journal de la classe)

Intelligence logico-mathématique

- problèmes de mathématiques au tableau
- QUESTIONS SOCRATIQUES
- démonstrations scientifiques
- problèmes de logique
- CLASSIFICATION ET CATÉGORISATION
- création de codes
- casse-tête et jeux de logique
- QUANTIFICATION ET CALCUL
- langage de programmation informatique
- PENSÉE SCIENTIFIQUE

- présentation logique et séquentielle d'une matière
- exercices cognitifs de Piaget
- HEURISTIQUE

Intelligence spatiale

- tableaux, graphiques, diagrammes et cartes
- VISUALISATION
- photographie
- vidéo, diapositives et films
- casse-tête et labyrinthes
- ensembles de construction en trois dimensions
- appréciation artistique
- histoires faisant appel à l'imagination
- MÉTAPHORES IMAGÉES
- rêves éveillés créatifs
- peinture, collage et autres arts visuels
- CROQUIS D'IDÉES
- exercices de visualisation
- SYMBOLES GRAPHIQUES
- utilisation de la représentation mentale et d'autres techniques visuelles
- logiciels de graphiques
- recherche de schémas visuels
- illusions d'optique
- COULEUR
- télescopes, microscopes et binoculaires
- activités d'éveil visuel
- logiciel de design

Intelligence kinesthésique

- mouvement créatif
- PENSÉE PRATIQUE
- visites
- mime
- THÉÂTRE EN CLASSE
- jeux de compétition et de coopération
- activités d'éveil physique
- activités pratiques de tous genres
- travaux manuels
- ANATOMIE

- imagerie kinesthésique
- cuisine, jardinage et autres activités « salissantes »
- manipulations
- logiciels de réalité virtuelle
- CONCEPTS KINESTHÉSIQUES
- activités d'éducation physique
- utilisation de signaux physiques et manuels pour communiquer
- matériels et expériences tactiles
- exercices de relaxation physique
- EXPRESSIONS CORPORELLES

Intelligence musicale

- CONCEPTS MUSICAUX
- chants, fredonnements et sifflements
- musique enregistrée
- musique au piano, à la guitare ou avec d'autres instruments
- chants en groupe
- musique d'ambiance
- appréciation de la musique
- percussions
- RYTHME, CHANSON, RAP, MÉLOPÉE,
- lien entre les vieilles chansons et certains concepts
- DISCOGRAPHIE
- écoute de notre musique intérieure imaginaire
- création de mélodies sur certains concepts
- logiciels de musique
- MUSIQUE AIDE-MÉMOIRE

Intelligence interpersonnelle

- GROUPES DE COOPÉRATION
- interaction interpersonnelle
- médiation de conflits
- enseignement mutuel
- JEUX DE SOCIÉTÉ
- enseignement entre élèves d'âges différents
- remue-méninges en groupe
- PARTAGE MUTUEL
- participation au groupe
- stages supervisés
- SIMULATIONS

- groupes d'études
- logiciels interactifs
- rassemblements sociaux dans un contexte d'apprentissage
- SCULPTURE HUMAINE

Intelligence intrapersonnelle

- étude individuelle
- MOMENTS D'ÉMOTION
- études autodidactiques
- jeux et projets individuels
- coins retirés pour étudier
- MINUTE DE RÉFLEXION
- aires aménagés par champs d'intérêt
- RAPPORT À SOI
- options pour les devoirs
- OCCASION DE CHOISIR
- programme d'autoapprentissage
- programmes d'activités inspirants et motivants
- activités d'estime de soi
- tenue d'un journal
- ÉTABLISSEMENT D'OBJECTIFS

Planification d'une leçon à IM

D'une certaine façon, l'application pratique de la théorie des IM dans un programme d'études se résume à un ensemble vague et diversifié de stratégies pédagogiques comme celles qui sont présentées dans la liste précédente. En ce sens, elle constitue un modèle d'éducation qui n'a aucune règle distincte, mises à part les exigences imposées par les éléments cognitifs des intelligences elles-mêmes. Les enseignants peuvent donc faire un choix parmi les activités proposées, en adaptant la théorie à leur style d'apprentissage personnel et à leur philosophie pédagogique (dans la mesure où cette philosophie ne suppose pas que tous les enfants apprennent de la même manière).

Cependant, la théorie des IM suggère aussi un ensemble de paramètres à l'intérieur desquels les éducateurs peuvent créer de nouveaux programmes d'activités. En fait, elle fournit un contexte qui permet aux éducateurs d'expliquer une tâche, un contenu, un thème ou un objectif pédagogique d'au moins sept façons différentes. Essentiellement, la théorie des IM permet aux enseignants de planifier des leçons quotidiennes, des unités hebdomadaires, des thèmes et des programmes mensuels ou annuels et de s'adresser à tous les types d'intelligences au moins à quelques reprises dans l'année.

La meilleure façon d'aborder la planification du programme d'activités avec la théorie des IM est d'imaginer des moyens de *transférer* la matière enseignée d'une intelligence à l'autre. Autrement dit, comment prendre un système symbolique linguistique, comme la langue française, et le traduire — non pas en une autre langue comme l'espagnol ou l'anglais, mais en langages propres aux autres intelligences, notamment en expression graphique, physique ou musicale, en symboles ou en concepts logiques, en interactions sociales et en introspection personnelle ?

Voici un processus en sept étapes qui suggère une méthode de planification d'une leçon, ou d'unités du programme, basée sur la théorie des IM :

1. Se concentrer sur un objectif ou sur un sujet particulier. Il est possible de choisir un programme à grande échelle (ex. : pour un thème s'étalant sur toute l'année) ou d'en créer un visant un objectif pédagogique particulier (ex. : pour le programme d'études d'un élève). Néanmoins, que l'on choisisse de se concentrer sur l'écologie ou sur le « cri primal », il faut s'assurer que l'objectif établi est clair et concis ; le placer alors au centre d'une feuille. (*Voir le tableau 5.2.*)

2. Poser des questions clés relatives aux IM. Le tableau 5.2 présente des questions à poser dans le cadre d'un programme visant un objectif ou un sujet particulier, lesquelles peuvent servir d'amorce pour les étapes ultérieures.

3. Examiner les possibilités. Parmi les questions proposées au tableau 5.2, la liste des techniques et du matériel donnée au tableau 5.1 et les descriptions des stratégies données au chapitre VI, lesquelles semblent les plus appropriées ? Il peut être utile de songer à d'autres possibilités qui n'apparaissent pas sur la liste et qui pourraient convenir.

4. Faire un remue-méninges. La feuille de planification des IM, présentée au tableau 5.3, peut être utilisée pour dresser une liste d'approches pédagogiques pour chaque intelligence. Le résultat devrait ressembler au tableau 5.4. Dans cette liste, il importe d'annoncer avec précision le sujet que l'on veut aborder (ex. : dire « cassette vidéo sur la jungle », au lieu de « cassette vidéo »). La règle du remue-méninges est de « dresser la liste de *tout* ce qui vient à l'esprit ». Il faut essayer d'avoir au moins vingt ou trente idées, dont au moins une pour chaque intelligence. Faire cet exercice avec des collègues peut stimuler l'imagination.

TABLEAU 5.2

Questions de planification relatives aux IM

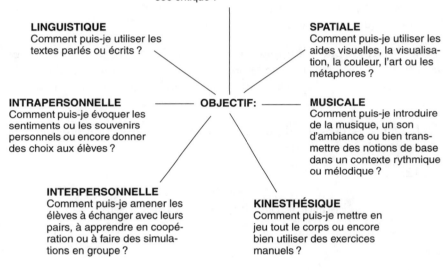

LOGICO-MATHÉMATIQUE
Comment puis-je utiliser les nombres, le calcul, la logique, les classifications ou la pensée critique ?

LINGUISTIQUE
Comment puis-je utiliser les textes parlés ou écrits ?

SPATIALE
Comment puis-je utiliser les aides visuelles, la visualisation, la couleur, l'art ou les métaphores ?

INTRAPERSONNELLE
Comment puis-je évoquer les sentiments ou les souvenirs personnels ou encore donner des choix aux élèves ?

OBJECTIF:

MUSICALE
Comment puis-je introduire de la musique, un son d'ambiance ou bien transmettre des notions de base dans un contexte rythmique ou mélodique ?

INTERPERSONNELLE
Comment puis-je amener les élèves à échanger avec leurs pairs, à apprendre en coopération ou à faire des simulations en groupe ?

KINESTHÉSIQUE
Comment puis-je mettre en jeu tout le corps ou encore bien utiliser des exercices manuels ?

TABLEAU 5.3

Feuille de planification des IM

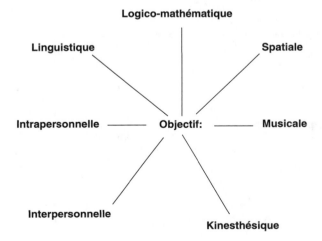

Logico-mathématique

Linguistique

Spatiale

Intrapersonnelle — Objectif: — Musicale

Interpersonnelle

Kinesthésique

5. Sélectionner des activités appropriées. Sur la feuille de planification, encerclez les idées qui semblent les plus adaptables à votre style d'enseignement.

6. Établir un plan séquentiel. À l'aide des approches sélectionnées, il est suggéré de concevoir le plan d'une leçon ou d'une unité portant sur le sujet ou l'objectif choisi. Le tableau 5.5 offre l'exemple d'un plan d'une leçon de sept jours qui pourrait être suivi, si vous décidez de consacrer de 35 à 40 minutes par jour à l'objectif choisi.

7. Mettre le plan en application. Il s'agit de vous procurer le matériel nécessaire, de sélectionner un temps approprié et d'exécuter le plan de la leçon, en adaptant la leçon aux circonstances qui se présentent, en cours de route.

L'annexe A présente d'autres exemples de leçons et de programmes s'inspirant de la théorie des IM.

TABLEAU 5.4

Feuille de planification des IM remplie

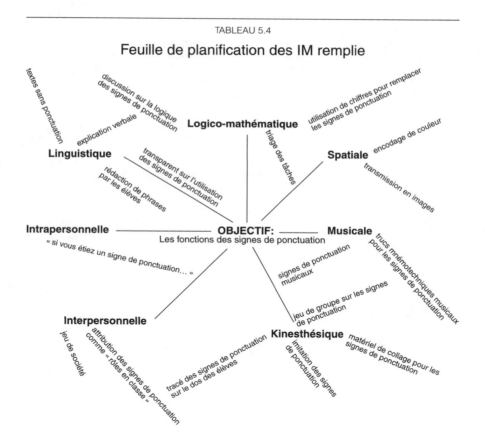

TABLEAU 5.5

Plan d'une leçon pour IM échelonnée sur sept jours

Année : 4ᵉ année

Sujet : arts linguistiques

Objectif : comprendre les fonctions de quatre signes de ponctuation et les différencier : le point d'interrogation, le point, la virgule et le point d'exclamation.

Lundi (intelligence linguistique) : les élèves écoutent une explication verbale sur les fonctions des signes de ponctuation, lisent des phrases qui comportent des exemples de chaque signe et font une activité qui consiste à insérer ces signes dans un texte.

Mardi (intelligence spatiale) : l'enseignante ou l'enseignant fait des dessins au tableau qui correspondent, par leur signification et leur forme, aux différents signes de ponctuation (point d'interrogation : un crochet, pour indiquer qu'une question nous accroche et que l'on veut une réponse ; point d'exclamation : un bâton que l'on frappe au sol pour exprimer fortement une opinion ; point : un point, pour apporter notre point de vue, tout simplement ; virgule : une pédale de frein, pour demander un arrêt momentané au milieu d'une phrase. Les élèves peuvent créer leurs propres images, puis les dessiner dans des phrases en attribuant des couleurs aux différents signes.

Mercredi (intelligence kinesthésique) : on demande aux élèves de former les signes de ponctuation avec leurs corps à mesure qu'on leur lit des phrases qui contiennent ces signes (ex. : un corps recourbé pour représenter un point d'interrogation).

Jeudi (intelligence musicale) : les élèves choisissent différents sons pour représenter les signes de ponctuation (comme Victor Borge a fait dans ses comédies), puis émettent ces sons à l'unisson pour ponctuer les phrases que lisent d'autres élèves.

Vendredi (intelligence logico-mathématique) : les élèves forment des groupes de quatre à six personnes. Chaque groupe dispose d'une boîte divisée en quatre compartiments, chacun correspondant à un signe de ponctuation différent. Les groupes reçoivent des bouts de phrases et doivent les classer dans les quatre compartiments selon le signe manquant.

Lundi (intelligence interpersonnelle) : les élèves forment des groupes de quatre à six personnes. Chaque élève a quatre cartes, sur chacune desquelles est tracé un signe de ponctuation différent. À l'aide d'un rétroprojecteur, l'enseignante ou l'enseignant présente une phrase qui nécessite un signe de ponctuation, puis les élèves doivent immédiatement déposer la carte appropriée au centre du cercle formé par leur groupe. L'élève du groupe qui jette en premier la bonne carte obtient cinq points, le deuxième en obtient quatre, etc.

Mardi (intelligence intrapersonnelle) : l'enseignante ou l'enseignant demande aux élèves de créer leurs propres phrases en utilisant chacun des signes de ponctuation. Ces phrases doivent se rapporter à leur vie personnelle (ex. : une question pour laquelle ils aimeraient avoir une réponse, une affirmation avec laquelle ils sont fortement en accord, un fait qu'ils aimeraient partager avec d'autres).

IM et enseignement thématique

De plus en plus d'éducateurs reconnaissent l'importance d'enseigner aux élèves dans une perspective interdisciplinaire. Avec l'enseignement des matières ou l'enseignement cloisonné de la connaissance, les élèves peuvent aquérir des compétences et des connaissances de base pouvant leur être utiles dans leur éducation future, mais une tel enseignement échoue souvent quand vient le temps de le mettre en application dans la réalité d'un monde auquel ils et elles auront à participer comme citoyens, dans quelques années. Par conséquent, les éducateurs se tournent vers des modèles pédagogiques qui imitent ou reflètent la vie d'une façon significative. L'enseignement qu'ils adoptent alors est fréquemment de nature *thématique*. Cet enseignement dépasse les frontières traditionnelles des programmes d'études, entremêle les sujets et les compétences que l'on retrouve naturellement dans la vie et donne l'occasion aux élèves d'utiliser leurs intelligences multiples de façon pratique. Selon Susan Kovalik (1993, p. 5), créatrice du modèle *Integrated Thematic Instruction* (enseignement thématique intégré) :

> Un élément clé du programme *here and now* (ici et maintenant), c'est que les élèves le reconnaissent immédiatement comme pertinent et significatif… De plus, il veut enseigner à nos jeunes leur monde et les outils nécessaires pour y évoluer et le transformer, les préparant ainsi à vivre les modifications rapides des années 1990 et des années suivantes. [Traduction libre]

Le modèle de Kovalik est basé sur des thèmes échelonnés sur l'année (ex. : « Comment ça marche ? »), qui sont eux-mêmes composés d'éléments qui sont répartis sur des mois (ex. : les horloges/le temps, l'énergie électrique, les transports), et de sujets hebdomadaires (ex. : les changements de saison et les temps géologiques). D'autres approches mettent l'accent sur des structures temporelles alternatives, comme des thèmes s'échelonnant sur un semestre ou un trimestre. Sans tenir compte du temps pour chaque élément, la théorie des IM permet de structurer les programmes thématiques et donne un moyen de s'assurer que les activités choisies pour un thème activeront les sept intelligences et toucheront aux talents de tous les enfants.

Le tableau 5.6, qui propose des activités pouvant accompagner le thème des inventions, montre comment on peut structurer des activités pour enseigner des matières scolaires traditionnelles en s'adressant à chacune des sept intelligences. Ce tableau illustre très bien comment les activités scientifiques n'ont pas à se concentrer uniquement sur l'intelligence logico-mathématique et comment les activités langagières (lecture et

TABLEAU 5.6

IM et enseignement thématique

Thème : inventions

	Mathématiques	Science	Lecture	Rédaction	Études sociales
Linguistique	Lire des problèmes de mathématiques impliquant des inventions	Parler des principes scientifiques de base de certaines inventions	Lire un livre général sur les inventions	Écrire sur ce que l'on aimerait inventer	Écrire sur les conditions sociales qui ont mené à certaines inventions
Logico-mathématique	Lire une formule mathématique qui a servi de base à une invention	Émettre une hypothèse dans le but de mettre au point une nouvelle invention	Lire un livre sur la logique et les mathématiques qui entrent en jeu dans certaines inventions	Écrire un problème basé sur une invention connue	Créer une ligne temporelle des inventions célèbres
Spatiale	Identifier les principes de géométrie reliés à des inventions particulières	Dessiner une nouvelle ou une vieille invention en montrant toutes ses parties utiles	Lire un livre comportant beaucoup de diagrammes illustrant le fonctionnement interne de certaines inventions	Étiqueter les différents éléments sur le plan d'une invention	Fabriquer une affiche pour illustrer les inventions dans leur contexte sociohistorique
Kinesthésique	Créer une invention qui mesure une activité physique particulière	Construire sa propre invention basée sur des principes scientifiques solides	Lire les instructions d'assemblage d'une invention existante	Écrire les instructions pour construire une invention à partir de matériel recyclé	Monter une pièce dans laquelle on explique comment une certaine invention a vu le jour
Musicale	Dégager les notions mathématiques impliquées dans l'invention des instruments de musique	Dégager les notions de la science qui entrent en jeu dans l'invention de la musique électronique	Lire sur le contexte des chansons, comme « John Henry », qui traitent d'inventions	Composer les paroles d'une chanson qui fait la promotion d'une nouvelle invention	Écouter de la musique sur des inventions de différentes époques historiques
Interpersonnelle	Faire partie d'un groupe qui examine le rôle des mathématiques dans certaines inventions	Former un groupe de discussion pour étudier le rôle de la science dans les inventions	Lire sur la coopération nécessaire à la mise au point d'une invention	Écrire une pièce de théâtre sur les inventions qui pourrait être jouée par la classe	Discuter en groupe sur la façon dont une certaine invention a vu le jour
Intrapersonnelle	Créer ses propres problèmes basés sur des inventions	Mettre en place un programme d'activités individuelles pour examiner les bases scientifiques d'une invention particulière	Lire la biographie d'un inventeur ou d'un inventrice célèbre	Écrire son autobiographie en tant qu'« inventeur » ou « inventrice » célèbre	Réfléchir à la question suivante : si vous pouviez inventer une machine à voyager dans le temps, à quelle époque iriez-vous ?

rédaction) peuvent très bien ne pas s'adresser uniquement à l'intelligence linguistique. En fait, ces activités peuvent englober les sept intelligences.

Il faut se rappeler qu'il y a différentes façons d'appliquer la théorie des IM et qu'il n'y a pas de règle précise à suivre. Les idées formulées dans ce chapitre ne sont que des suggestions. Il est possible, et même souhaitable, de créer ou d'intégrer d'autres modèles de planification de leçon ou d'unité thématique que ceux proposés par Kovalik (1993) et Hunter (voir Gentile 1988). Finalement, il importe de respecter votre volonté profonde et sincère de dépasser les formes d'intelligences que vous enseignez actuellement, de sorte que tous les enfants aient la chance de réussir à l'école.

Pour une étude plus approfondie

1. Examiner la liste des stratégies pédagogiques proposées dans ce chapitre et encercler celles que vous utilisez ou que vous avez utilisées dans votre enseignement. Dessiner une étoile jaune à côté des méthodes qui ont le mieux fonctionné, un drapeau rouge à côté des activités que vous pensez trop utiliser. Finalement, tracer une flèche bleue pointant vers le haut à côté des activités que vous aimeriez essayer.

   Au cours des semaines qui suivent, éliminer ou réduire certaines des techniques surutilisées (drapeaux rouges), augmenter le temps attribué aux activités accompagnées d'une étoile jaune, puis ajouter à votre répertoire des activités munies de flèches bleues.

2. Sélectionner un sujet particulier ou un objectif pédagogique que plusieurs élèves ne semblent pas avoir appris efficacement. Appliquer la méthode de planification en sept étapes pour créer une leçon ou une série de leçons pour intelligences multiples, puis enseigner les activités ainsi prévues aux élèves.

   Faire un retour sur la leçon. Quelles parties ont le mieux fonctionné ? Lesquelles ont eu moins de succès ? Inviter les élèves à faire la même réflexion. Qu'avez-vous appris de cette expérience, qui saura vous aider à enseigner régulièrement en utilisant les intelligences multiples ?

3. Choisir un thème qui servira de base à un programme d'activités dans votre classe. Selon la méthode de planification en sept étapes décrite dans ce chapitre, créer un ensemble d'activités qui touche les sept intelligences et toutes les matières. (*Voir le tableau 5.6 pour des suggestions d'activités.*)

4. Déterminer une intelligence que vous n'abordez habituellement pas dans votre enseignement, créer le plan d'une leçon qui y a recours, puis enseigner cette leçon aux élèves.)

6 Les intelligences multiples et les stratégies d'enseignement

Si le seul outil que vous possédez est un marteau,
Tout ce qui est autour de vous ressemble à un clou.
[Traduction libre]

— Anonyme

LA THÉORIE DES **IM** OUVRE LA PORTE À UN LARGE éventail de stratégies d'enseignement qui peuvent facilement s'appliquer dans la classe. D'un côté, il y a les stratégies employées depuis des décennies par de bons enseignants. De l'autre, cette théorie offre aux enseignants la possibilité d'élaborer eux-mêmes des stratégies d'enseignement innovatrices qui sont relativement nouvelles sur la scène pédagogique. Dans tous les cas cependant, selon la théorie des IM, aucun ensemble de stratégies d'enseignement ne pourra fonctionner avec tous les élèves et à tous moments. En effet, puisque tous les enfants ont des propensions différentes dans les sept intelligences, une stratégie appropriée à un groupe d'élèves peut se révéler inadéquate avec d'autres groupes. Par exemple, ceux et celles qui utilisent le rock, le « rap » et le chant comme outils pédagogiques constateront probablement que les élèves qui ont une inclination pour la musique répondent de façon enthousiaste à cette stratégie, alors que les autres restent impassibles. De même, l'utilisation de dessins et d'images atteindra les élèves qui sont plus spatiaux tout en ayant un effet différent sur ceux qui sont plus physiques ou verbaux.

En raison de ces différences individuelles, et est souhaitable d'utiliser un large éventail de stratégies d'enseignement avec les élèves. De cette façon, si l'enseignante ou l'enseignant a recours à différentes intelligences d'une présentation à l'autre et chaque élève, à un moment ou à un autre de la journée, voit son ou ses intelligences les plus développées mises de l'avant dans son apprentissage.

Le chapitre VI regroupe trente-cinq stratégies d'enseignement, soit cinq pour chacune des sept intelligences. Ces stratégies sont assez générales pour s'appliquer à tous les niveaux d'apprentissage et assez précises pour être facilement utilisées. Il est à noter qu'il ne s'agit que de quelques exemples constitués des meilleures stratégies disponibles et que chaque enseignante ou enseignant est libre de trouver ses propres stratégies ou d'adapter celles qui existent déjà. (*Voir le chapitre 5 pour d'autres stratégies.*)

Stratégies d'enseignement pour l'intelligence linguistique

C'est sans doute pour l'intelligence linguistique qu'il est le plus facile d'élaborer des stratégies, car c'est à celle-ci que l'on porte beaucoup attention dans les écoles. Toutefois, les cinq statégies proposées n'incluent pas les stratégies linguistiques traditionnelles comme les manuels scolaires, les feuilles d'activités et les exposés, car celles-ci ont été surutilisées. Cela ne signifie pas que ces outils, qui constituent d'excellents moyens de transmettre certains types d'information, ne devraient pas être utilisés. Cependant, ils ne représentent *qu'une petite partie* du vaste répertoire des stratégies d'enseignement et non la partie la plus importante. Très répandues dans les écoles des États-Unis, ces trois techniques ou outils n'atteignent facilement qu'une partie de la population apprenante : les élèves qui aiment les livres et la lecture. Les cinq stratégies proposées ici mettent en jeu des activités linguistiques plus larges qui valorisent l'intelligence linguistique de *chaque* apprenant ; elles sont donc accessibles à un plus grand nombre d'entre eux. Il s'agit des récits oraux, du remue-méninges, de l'enregistrement, de la tenue d'un journal et de la publication.

Récits. Traditionnellement, raconter des histoires est perçu comme un divertissement pour les enfants dans les bibliothèques ou une activité durant des périodes spéciales d'enrichissement en classe. Le récit devrait pourtant être considéré comme un outil pédagogique essentiel, car il fait partie de la culture des peuples du monde entier depuis des millénaires. Raconter une histoire à une classe, c'est imbriquer des concepts, des idées et des objectifs pédagogiques essentiels dans un récit que l'on transmet directement aux élèves. Bien que les contes oraux soient habituellement utilisés comme un moyen de transmission de connaissance des sciences humaines, ils peuvent être également appliqués aux mathématiques et aux sciences. Par exemple, pour enseigner la multiplication, on peut raconter aux élèves l'histoire d'un groupe de frères et de sœurs qui ont des pouvoirs magiques : tout ce qu'ils touchent se multiplie (dans le cas du premier enfant, les choses doublent ; pour le deuxième, elles triplent, etc.). Pour transmettre la notion de la force centrifuge, on peut transporter les élèves dans un pays magique où tout tourne très rapidement.

Pour préparer votre conte, dressez la liste des éléments essentiels que vous aimeriez y inclure. Utilisez ensuite votre imagination pour créer un pays spécial, un groupe de personnages colorés et une intrigue fantastique pour transmettre le message. Pour vous aider, vous pouvez même visualiser l'histoire d'abord, puis vous exercer en la racontant à quelqu'un ou devant le miroir. Les histoires n'ont pas à être exceptionnellement originales ou fabuleuses pour que les enfants en tirent profit. Le simple fait de voir leur enseignante ou enseignant faire preuve de créativité et leur livrer un récit qui vient du cœur les touche et les impressionne.

Remue-méninges. Lev Vygotsky a dit un jour qu'une pensée est comme un nuage qui déverse une pluie de mots. Le remue-méninges permet aux élèves d'émettre oralement un torrent d'idées qui peuvent être notées sur un tableau noir ou sur un transparent. Il peut porter sur n'importe quel sujet : des mots pour un poème, des idées pour un projet de groupe, des idées sur la matière en cours, des suggestions pour un pique-nique, etc. La règle générale est de dire tout ce qui vient à l'esprit et qui est pertinent, aucune idée ne pouvant être refusée ou critiquée. *Toutes* les idées comptent. Vous pouvez inscrire au tableau les idées au hasard ou utiliser un système spécial (ex. : un tableau, une représentation mentale ou un diagramme de Venn) pour les organiser puis inviter les élèves à partager, à chercher des liens ou à regrouper les idées émises. Les idées peuvent alors servir de pistes de réflexion pour les élèves ou encore être utilisés dans un projet particulier (ex. : dans un poème de groupe). Cette stratégie permet à tous les élèves de recevoir une reconnaissance spéciale pour leurs pensées originales.

Enregistrement. Le magnétophone représente un outil important en classe. Il permet aux élèves d'apprendre sur leurs capacités linguistiques, d'employer leurs habiletés verbales pour communiquer, de résoudre des problèmes et d'exprimer leurs sentiments. Les élèves peuvent utiliser un magnétophone pour « exprimer à voix haute » un problème qu'ils essaient de résoudre ou un projet qu'ils planifient. Ce faisant, ils réfléchissent sur leurs propres méthodes de résolution de problèmes et sur leurs compétences cognitives. Ils peuvent également se servir du magnétophone pour se préparer à écrire, en parlant de leur sujet, cassant ainsi la glace. De plus, les élèves qui ont de la difficulté en rédaction peuvent enregistrer leurs pensées pour s'exprimer. Certains élèves peuvent avoir recours au magnétophone pour envoyer une « lettre orale » à des camarades de classe, pour partager des expériences personnelles, ou pour savoir quelle impression ils font sur les autres élèves de la classe.

Le magnétophone peut également servir comme *encaisseur* d'information (ex. : pendant une intrevue et comme *débiteur* d'information (ex. : les livres-cassettes). De plus, il peut servir à transmette des renseignements. Par exemple, on peut en placer un dans chaque centre d'activités afin que les élèves écoutent l'information relative au thème auquel est consacrée le centre. Chaque salle devrait contenir plusieurs magnétophones, et les enseignants devraient en planifier une utilisation régulière pour favoriser le développement intellectuel des élèves.

Tenue d'un journal. Le tenue d'un journal personnel oblige les élèves à mettre régulièrement sur papier des éléments relatifs à un domaine particulier. Celui-ci peut être large et sans limite (ex. : écrire tout ce qu'ils pensent ou ressentent quand ils sont en classe) ou assez précis (ex. : dans le cadre du cours d'histoire, simuler, dans leur journal, une vie de fermier au XIXe siècle). Les élèves peuvent être invités à tenir un tel journal dans les cours de mathématiques (ex. : écrire une stratégie de solution de problèmes qui pourrait être utilisée), de sciences (ex. : noter les expériences qu'ils font, les hypothèses qu'ils vérifient et les nouvelles idées qui leur viennent en travaillant), de littérature (ex. : noter continuellement leurs appréciations des livres qu'ils lisent) ou de toute autre matière. Un journal peut être lu régulièrement devant la classe ou encore être totalement confidentiel, c'est-à-dire partagé seulement entre l'élève et son enseignante ou son enseignant. Il peut également incorporer les intelligences multiples par des illustrations, des croquis, des photos, des dialogues et d'autres données non verbales. Il est à noter que cette stratégie met beaucoup en jeu l'intelligence intrapersonnelle puisque les élèves y travaillent individuellement et utilisent le journal pour réfléchir sur leur vie.

Publication. Dans les classes traditionnelles, les feuilles que les élèves remplissent sont remises à l'enseignante ou à l'enseignant, notées, puis souvent jetées. Avec ce type de routine, de nombreux élèves en viennent à percevoir l'écriture comme une méthode ennuyeuse de faire un devoir. Les éducateurs doivent donc transmettre un autre type de message : l'écriture est un outil puissant de communication des idées qui peut influencer les gens. Une façon d'inculquer cette notion aux élèves est de leur donner la chance de publier et de distribuer leurs œuvres.

La publication peut prendre plusieurs formes. Les élèves peuvent photocopier leurs rédactions ou les saisir à l'aide d'un traitement de texte, puis les faire imprimer en plusieurs exemplaires. Ils peuvent également soumettre leur travail au journal de la classe, de l'école ou de la ville, ainsi qu'à un magazine jeunesse ou à d'autres publications qui acceptent de tels travaux. Les textes des élèves peuvent également être reliés sous forme de livres et ensuite être placés dans une section spéciale de la bibliothèque de la classe ou de l'école, pour que tous puissent en prendre connaissance.

Après la publication des œuvres des élèves, encouragez les interactions entre les auteurs des textes et les lecteurs. Certains élèves pourraient même annoter des parties de textes et créer des cercles littéraires pour discuter de ces rédactions. Quand les enfants constatent que les autres s'intéressent suffisamment à leur travail pour le dupliquer, en discuter et y apporter des commentaires, leur intelligence linguistique se renforce et leur motivation pour la rédaction augmente.

Stratégies d'enseignement pour l'intelligence logico-mathématique

Les notions logico-mathématiques sont traditionnellement restreintes aux cours de mathématiques et de sciences. Pourtant, certains éléments de ce type d'intelligence peuvent être appliqués à tous les champs d'étude. L'émergence du mouvement pédagogique préconisant la pensée critique favorise l'intégration de l'intelligence logico-mathématique aux sciences sociales et humaines.

L'importance accordée à la compétence mathématique dans nos écoles ainsi que la recommandation, visant à intégrer les mathématiques aux autres disciplines, laissent présumer que la pensée logico-mathématique devrait faire partie intégrante de la journée scolaire. Les techniques qui suivent constituent cinq stratégies majeures visant à développer l'intelligence logico-mathématique dans toutes les matières scolaires : la quantification et le calcul ; la classification et la catégorisation ; les questions socratiques ; l'heuristique ; la pensée scientifique.

Quantification et calcul. Conformément aux réformes académiques courantes, on encourage les enseignants à saisir les occasions de parler de numération à l'intérieur et à l'extérieur du cadre des mathématiques et des sciences. Dans des matières comme l'histoire et la géographie, il est relativement facile de mettre l'accent sur des statistiques importantes : le nombre de vies perdues dans les guerres, la population d'un pays, etc. Par contre, atteindre le même but en littérature n'est pas évident. En fait, il ne faut pas chercher à fabriquer des rapports qui n'existent tout simplement pas mais plutôt utiliser les données fournies. En effet, il est étonnant de constater le nombre de romans, de nouvelles et d'autres genres littéraires qui font référence à des nombres. Dans un roman de Virginia Woolf, par exemple, il est fait mention de cinquante livres pour réparer le toit d'une serre. À quelle somme correspond ce montant d'argent en dollars américains ? De même, dans une nouvelle de Doris Lessing, un garçon doit compter pour savoir combien de temps il peut rester sous l'eau, puis comparer le résultat au temps qu'il faut à des plongeurs expérimentés pour traverser un tunnel submergé. Chacun de ces passages fournit une occasion d'utiliser la pensée mathématique. Même s'il n'est pas nécessaire de recourir aux grandes œuvres littéraires pour présenter des problèmes de mathématiques (ce serait peut-être ardu), il peut être utile de porter attention aux nombres et aux problèmes de mathématiques intéressants qui pourraient s'y présenter. En ayant recours aux nombres dans des matières autres que les mathématiques, vous capterez davantage l'intérêt des élèves très logiques et vous permettrez aux autres de voir que les mathématiques n'existent pas seulement dans un cours, mais qu'elles font partie de la vie courante.

Classification et catégorisation. L'esprit logique peut être stimulé chaque fois que l'information (qu'elle soit linguistique, logico-mathématique, spatiale ou d'un autre type) est placée dans une certaine structure rationnelle. Par exemple, dans un cours sur les effets du climat sur les cultures, les élèves peuvent faire un remue-méninges pour dresser une liste des lieux géographiques, puis les classer par type de climat (ex. : désertique, montagneux, continental et tropical). Dans un cours de science sur les états de la matière, on peut inscrire au tableau, en titre de colonnes, les noms de trois catégories (gaz, solide, liquide), puis demander aux élèves de trouver des exemples pour chacune. Voici d'autres exemples de structures logiques, la plupart de nature spatiale : diagrammes de Venn, courbe temporelle, toile d'araignée des qualités (dresser la liste des qualités d'une personne, d'une place ou d'un objet et discuter du sujet), diagramme des questions clés (stratégie visant à faire ressortir les éléments clés d'un texte ou les éléments déclencheurs pour le rédaction d'un texte) et les représentations mentales. La valeur de cette méthode est que des fragments d'information disparates peuvent s'organiser autour d'idées ou de thèmes centraux, ce qui les rend plus faciles à mémoriser et plus propices à la discussion et à la réflexion.

Questions socratiques. Le mouvement de la pensée critique a superposé une autre image importante à celle, traditionnelle, de l'enseignant comme distributeur de savoir. Dans le questionnement socratique dont le père est le philosophe grec Socrate, l'enseignante ou l'enseignant remet en question le point de vue des élèves. Selon cette philosophie, plutôt que de parler *aux* élèves, on participe à un dialogue *avec* eux, on les amène à découvrir la véracité ou la fausseté de leurs croyances. Les élèves partagent leurs hypothèses sur le fonctionnement du monde et on guide les « analyses » de ces hypothèses en recherchant avec eux la clarté, la précision, l'exactitude, la cohérence logique ou la pertinence à travers des questions bien ficelées. Par exemple, dans cette méthode d'enseignement, une élève en histoire qui déclarerait que la Seconde guerre mondiale n'aurait pas eu lieu si les soldats avaient résisté au service militaire verrait son point de vue soumis à un examen rigoureux. Un autre élève qui défendrait les motivations d'un personnage de « Huckleberry Finn » serait soigneusement interrogé pour savoir si son opinion s'appuie sur les faits décrits dans le roman. Le but n'est pas d'humilier les élèves ni de les prendre en faute, mais bien de les aider à aiguiser leur pensée critique de sorte qu'ils ne fondent pas leur opinion seulement sur une émotion forte, ni sur la passion du moment. (*Voir Paul, 1992.*)

Heuristique. Le domaine de l'heuristique concerne un ensemble vague de stratégies, de gros bon sens, de lignes directrices et de suggestions pour la résolution de problèmes logiques. Toutefois, dans le cadre du présent ouvrage, l'heuristique peut être considérée comme une stratégie d'enseignement et d'apprentissage importante. Voici quelques exemples de principes heuristiques : trouver des analogies au problème à résoudre ; séparer les différentes parties du problème ; proposer une solution possible au problème et en vérifier la pertinence ; trouver un problème apparenté au vôtre et le résoudre. Bien que les applications les plus évidentes de l'heuristique se trouvent en mathématiques et en sciences, ses principes peuvent également être appliqués dans d'autres matières que celles qui touchent l'intelligence logico-mathématique. Par exemple, en essayant d'imaginer des solutions aux dépenses du gouvernement, l'élève peut chercher des analogies en se demandant quels autres types d'entités peuvent dépenser de la même façon. Aussi, en cherchant l'idée principale d'un passage littéraire, l'élève peut en séparer les parties (en phrases) et soumettre chaque partie à une analyse. L'heuristique fournit des schémas logiques aux élèves et les aide pour ainsi dire à trouver leur chemin sur un terrain pédagogique non familier. (*Voir Polya, 1957.*)

Pensée scientifique. Au même titre qu'il importe de chercher des idées mathématiques dans toutes les matières, il importe de chercher des idées scientifiques dans des domaines autres que scientifiques. Cette stratégie est spécialement importante car, selon des recherches, jusqu'à 95 % des adultes présentent un manque de connaissance fondamentale du vocabulaire scientifique et démontrent une faible compréhension de l'influence de la science dans le monde (« Poll Finds Americans Are Ignorant of Science », 1988). Il existe pourtant de nombreuses façons d'élargir la pensée scientifique à tous les domaines. Par exemple, les élèves peuvent étudier l'influence que les idées scientifiques importantes ont eue sur l'histoire (ex. : influence de l'invention de la bombe atomique sur la fin de la Seconde Guerre mondiale). Ils peuvent également étudier la science-fiction en essayant de découvrir si les idées qui y sont décrites sont plausibles. Ils peuvent aborder des sujets mondiaux (ex. : le sida, la surpopulation et l'effet de serre) dont la compréhension nécessite une base scientifique. En fait, la science permet d'avoir, dans chaque partie du programmes d'études, un autre point de vue qui peut considérablement enrichir la perspective des élèves.

Stratégies d'enseignement pour l'intelligence spatiale

Les peintures pariétales exécutées pendant la préhistoire prouvent que l'apprentissage spatial est, depuis longtemps, important pour l'être humain. Malheureusement, dans les écoles contemporaines, la notion de transmission de l'information à travers les modes visuel et auditif se traduit quelquefois par la simple écriture au tableau, une pratique de nature linguistique. L'intelligence spatiale réagit aux *images*, soit les images mentales ou les images réelles : des photos, des diapositives, des films, des dessins, des symboles graphiques, des écritures idéographiques, etc. Voici cinq stratégies d'enseignement conçues pour activer l'intelligence spatiale des élèves : la visualisation, la couleur, les métaphores imagées, le croquis d'idées, les symboles graphiques.

Visualisation. Une des façons les plus faciles d'aider les élèves à transférer les livres et le matériel de lecture en images consiste à leur demander de fermer les yeux et à visualiser ce qu'ils sont en train d'étudier. On peut leur demander de créer leur propre « tableau noir mental » (ou écran de cinéma ou de télévision) avec les yeux de l'esprit puis d'y placer tout le matériel qu'ils doivent mémoriser : orthographe, formules mathématiques, faits historiques ou autres données. Par la suite, lorsqu'ils ont besoin d'un renseignement, ils n'ont qu'à rappeler leur tableau mental pour y « consulter » les données inscrites.

Une application plus flexible de cette stratégie consiste à demander aux élèves de fermer les yeux et de voir en images ce qu'ils viennent de lire ou d'étudier (ex. : une histoire ou le chapitre d'un livre). Ils peuvent ensuite dessiner leur vision ou simplement en parler. Il est possible également d'amener les élèves dans une séance plus formelle de « visualisation guidée » afin de leur présenter une nouvelle matière ou un nouveau concept (ex. : faire un « tour guidé » dans le système circulatoire pour leur enseigner l'anatomie). Les élèves peuvent également aborder des concepts non spatiaux durant ces activités (ex. : des images kinesthésiques, des images verbales ou musicales).

Couleur. Les élèves très spatiaux sont souvent sensibles aux couleurs. Malheureusement, la journée scolaire est habituellement remplie de textes, de livres, de feuilles d'activités et de tableaux qui sont noir et blanc. Il y a pourtant de nombreuses façons d'utiliser la couleur comme outil pédagogique en classe. Employez différentes couleurs de craies au tableau, de stylos-feutres et de transparents quand vous écrivez devant la classe. Donnez des crayons, des stylos de couleur ainsi que du papier de couleur aux élèves pour leurs travaux. Les élèves peuvent utiliser des feutres de différentes couleurs pour encoder la matière étudiée (ex. : tracer les éléments clés en rouge, les idées secondaires en vert et les passages nébuleux en orange). Dans votre enseignement, utilisez la couleur pour faire ressortir les schémas, les règles ou la classification (ex. : colorier tous les *f* en rouge dans une leçon de phonétique ; utiliser différentes couleurs pour écrire sur les différentes époques historiques de la Grèce). Finalement, les élèves peuvent utiliser leurs couleurs préférées pour réduire leur stress quand ils doivent résoudre des problèmes difficiles. Par exemple, ils peuvent imaginer que leur couleur préférée remplit leur tête lorsqu'ils rencontrent un mot, un problème ou une idée qu'ils ne comprennent pas. Cela peut les aider à trouver la bonne réponse ou à clarifier les choses.

Métaphores imagées. Une métaphore, c'est l'utilisation d'une idée pour en exprimer une autre ; une métaphore imagée exprime une idée à l'aide d'une image visuelle. Les psychologues du développement affirment que les jeunes enfants sont les maîtres de la métaphore. (*Voir Gardner, 1979*) Même si malheureusement ce talent s'atténue souvent avec l'âge, les éducateurs peuvent exploiter ce courant d'avant-garde pour aider les élèves à maîtriser une nouvelle matière. La valeur pédagogique de la métaphore réside dans l'établissement de relations entre ce que l'élève connaît déjà et ce qu'il ou elle est en train d'apprendre. Pour ce faire, pensez à l'élément clé ou au concept principal que les élèves maîtrisent, puis reliez cette idée à une image visuelle. Construisez vous-même la métaphore (ex. : « En quoi le développement des colonies, au début de l'histoire des États-Unis, ressemble-t-il à la croissance d'une amibe ? ») ou demandez aux élèves de faire la leur (ex. : « Si chaque organe du corps humain était associé à un animal, que serait-il ? »).

Croquis d'idées. Un examen des cahiers de notes de certains personnages historiques importants, dont Charles Darwin, Thomas Edison et Henry Ford, révèle que ces gens ont utilisé de simples dessins pour développer plusieurs de leurs idées les plus importantes. Il importe donc de reconnaître la valeur de ce type de réflexion visuelle pour aider les élèves à exprimer leur compréhension d'un sujet. Selon cette stratégie, les élèves dessinent l'élément clé, l'idée principale, le thème ou le concept central qui est enseigné. Afin de favoriser une succession de croquis rapides qui permettrent d'exprimer une idée, il ne faut pas exiger des croquis clairs et réalistes de la part des élèves.

Pour préparer les élèves à faire ce type de dessin et les habituer à faire des dessins rapides qui transmettent des idées clés, il peut être intéressant de jouer à « Pictionary » ou à « Fais-moi un dessin ». Les élèves illustrent ensuite une idée ou un concept auquel vous désirez consacrer une leçon. Cette stratégie peut également être utilisée pour évaluer si un élève a compris une leçon, pour mettre l'accent sur un concept ou pour donner aux élèves l'occasion d'explorer une idée plus à fond. Voici quelques exemples de sujets ou de concepts que les élèves peuvent illustrer : la grande dépression, la gravitation, la probabilité (en mathématiques), les fractions, la démocratie, le pathétique (dans une œuvre littéraire), l'écosystème et la dérive des continents. Il est important de faire suivre ce type d'activité d'une discussion sur la relation entre les dessins et la matière. L'important n'est surtout pas d'évaluer les dessins, mais plutôt de faire ressortir la compréhension qui y est exprimée. (*Voir McKim, 1980.*)

Symboles graphiques. L'écriture de mots au tableau est l'une des stratégies d'enseignement les plus traditionnelles. Ce qui est moins courant, spécialement après le primaire, c'est de *faire des dessins* au tableau, ce qui serait pourtant extrêmement important pour aider les élèves spatiaux à comprendre. Par conséquent, les enseignants qui peuvent appuyer leur enseignement par des dessins et des symboles graphiques autant que par des mots atteignent davantage d'élèves. Cette stratégie demande d'utiliser le *dessin* au moins dans certaines parties de vos leçons, par exemple en créant des symboles graphiques pour représenter les concepts à apprendre. En voici quelques exemples :

- Représenter les trois états de la matière en dessinant une masse solide (des lignes foncées), une masse liquide (des lignes plus légères et ondulées) et une masse gazeuse (des pointillés).

- Au tableau, indiquer les « mots souche » en dessinant de petites racines à la base de chacun d'eux.
- Tracer une ligne temporelle pour un roman ou un événement historique et la marquer non seulement de dates et de noms, mais aussi d'illustrations qui symbolisent les événements.

Une persone ne doit pas nécessairement être douée en dessin pour utiliser cette stratégie. Des symboles graphiques grossièrement exécutés suffisent largement dans la plupart des cas. En fait, votre volonté d'exposer vos dessins imparfaits peut motiver les élèves qui sont gênés à montrer leurs propres dessins à la classe.

Stratégies d'enseignement
pour l'intelligence kinesthésique

Les élèves peuvent laisser leurs recueils de textes et leurs documents derrière eux quand ils quittent l'école, mais ils traînent leur corps partout où ils vont. Par conséquent, il peut être important de trouver des façons de les aider à intégrer leur apprentissage en profondeur, pour améliorer leur compréhension et leur mémoire. Traditionnellement, l'activité physique a été considérée comme l'apanage des cours d'éducation physique et de formation technique. Pourtant, certaines stratégies peuvent faciliter l'intégration des activités pédagogiques manuelles et kinesthésiques à des activités traditionnelles comme la lecture, les mathématiques et les sciences ; les réponses corporelles ; le théâtre en classe ; les concepts kinesthésiques ; la pensée pratique ; l'anatomie.

Expression corporelle. Demandez aux élèves de réagir à l'enseignement qui leur est donné en utilisant leur corps comme moyen d'expression. L'exemple le plus simple et le plus utilisé de cette stratégie consiste à leur faire lever la main pour indiquer qu'ils ont compris. Cette stratégie comporte toutefois de nombreuses variantes intéressantes. Au lieu de lever la main, les élèves pourraient sourire, cligner d'un œil, lever les doigts (ex. : un doigt pour indiquer une compréhension minimale, cinq doigts pour indiquer une compréhension totale), faire semblant de voler avec leurs bras, etc. L'élève peut s'exprimer avec son corps durant un exposé (ex. : mettre un doigt sur la tempe pour indiquer qu'il comprend et se gratter la tête pour signifier qu'il ne comprend pas.) Pendant la lecture d'un texte (ex. : froncer les sourcils chaque fois que quelque chose semble démodé dans le texte) ou pour répondre à des questions dont les réponses sont limitées (ex. : lever les bras, comme lorsque l'arbitre signale un toucher au football, pour indiquer que la construction de la phrase est similaire ou encore joindre les mains au-dessus de la tête pour former un pignon, pour indiquer que la phrase n'est pas similaire.

Théâtre en classe. Afin de faire ressortir l'acteur qui se cache en chacun de nous, demandez aux élèves de jouer les textes, les problèmes ou d'autres matières en en incarnant le contenu. Par exemple, les élèves peuvent mettre en scène un problème de mathématiques en trois étapes en créant une pièces en trois actes. Le théâtre en classe peut être aussi informel qu'une improvisation d'une minute sur un passage lu en classe, ou aussi formel qu'une pièce d'une durée d'une heure présentée à la fin du semestre et portant sur les connaissances acquises par les élèves sur un thème. Cette activité peut être faite sans aucun matériel ou elle peut nécessiter un soutien matériel considérable. Les élèves peuvent interpréter eux-mêmes les rôles ou ils peuvent mettre en scène des marionnettes et des figurines (ex. : démontrer comment une bataille s'est déroulée en disposant des soldats miniatures sur un champ de bataille en contreplaqué et en les déplaçant pour montrer les mouvements de troupes). Pour aider les élèves plus vieux, qui peuvent sembler réticents à participer à une telle activité, essayez de leur faire exécuter quelques exercices de réchauffement. (*Voir Spolin, 1986.*)

Concepts kinesthésiques. Les charades ont longtemps constitué un jeu prisé lors des soirées parce qu'elles demandent aux participants d'exprimer leur savoir de façon non traditionnelle. La stratégie des concepts kinesthésiques met en jeu la présentation des notions par des illustrations physiques ou le mime des notions ou des termes particuliers de la leçon par les élèves. Cette activité demande aux élèves de traduire l'information d'un système de symboles linguistiques ou logiques en expression purement kinesthésique. Les possibilités de sujets sont infinies. Voici quelques exemples de notions pouvant être exprimées par des gestes ou des mouvements : l'érosion du sol, la mitose cellulaire, la révolution politique, l'offre et la demande, la soustraction (des nombres), l'idée principale d'un roman et la biodiversité dans un écosystème. De plus, on peut élargir la simple pantomime à des mouvements plus créatifs ou à la danse.

Pensée pratique. Les élèves qui démontrent des signes d'intelligence kinesthésique devraient avoir l'occasion d'apprendre en manipulant des objets ou en fabriquant des choses de leurs mains. Beaucoup d'enseignants leur ont déjà donné cette chance en incorporant des objets de manipulation (ex. : des bâtonnets et des blocs) dans l'enseignement des mathématiques et en faisant participer les élèves à des expériences ou au laboratoire de science. Les élèves utilisent aussi la pensée pratique dans les projets thématiques (ex. : dans la construction d'un tipi dans un cours sur les traditions des nations autochtones ou en concevant un diorama sur la jungle pour un thème en écologie). Vous pouvez également élargir cette stratégie à beaucoup d'autres domaines. Par exemple, les élèves de niveau de base peuvent étudier l'orthographe ou un nouveau vocabulaire en formant les mots dans la glaise ou avec des cure-pipes. Les élèves de niveau plus élevé peuvent exprimer des concepts compliqués en créant des sculptures de glaise ou de bois, des collages ou d'autres assemblages. Ils peuvent, par exemple, transmettre leur compréhension du terme « déficit » (au sens économique) en utilisant uniquement de la glaise (ou toute autre matière disponible), puis présenter cette production au cours d'une discussion en classe.

Carte corporelle. Le corps humain constitue un outil pédagogique pratique quand on le transforme en point de référence ou en « carte », par rapport à des domaines particuliers de connaissance. Un des exemples les plus courants de cette approche est l'utilisation des doigts pour compter et calculer (des systèmes complexes de calcul sur les doigts, comme le « chisanbop », ont été adaptés pour une utilisation en classe). Ce type de rapport peut s'appliquer à plusieurs autres domaines. En géographie, par exemple, le corps peut représenter les États-Unis (ex. : dire que la tête représente les États du Nord et demander où se situe la Floride). Le corps peut également servir à élaborer une stratégie pour résoudre un problème de mathématiques. Par exemple, quand on multiplie un nombre à deux chiffres par un nombre à un chiffre, les pieds peuvent représenter le nombre à deux chiffres ; le genou droit, le nombre à un chiffre. Pour « résoudre » le problème, les élèves peuvent alors exécuter les gestes suivants : frapper sur le genou droit et le pied droit pour obtenir le premier produit (indiqué en frappant sur les cuisses) ; frapper sur le genou droit et le pied gauche pour obtenir le deuxième produit (indiqué en frappant sur l'estomac) ; frapper sur les cuisses et sur l'estomac (pour indiquer l'addition des deux produits), puis frapper sur la tête (pour indiquer le produit final). Les élèves peuvent graduellement assimiler une méthode ou une idée particulière en répétant des mouvements physiques qui la représentent.

Stratégies d'enseignement pour l'intelligence musicale

Depuis des milliers d'années, le savoir est transmis de génération en génération par le biais de chansons ou de mélopées. Au XXe siècle, les publicistes ont découvert que les chansons publicitaires aident les gens à se rappeler les produits de leurs clients. Les éducateurs, eux, ont mis plus de temps à comprendre l'importance de la musique dans le processus d'apprentissage, ce qui explique pourquoi la plupart des gens connaissent des milliers de chansons publicitaires, mais relativement peu de pièces musicales liées à l'école. Pour pallier cet état de fait, certaines stratégies peuvent être utilisées pour intégrer la musique à l'enseignement : le rythme, les chansons, les mélodies et le « rap », la discographie ; la musique aide-mémoire ; les concepts musicaux ; la musique d'ambiance.

Rythmes, chansons, mélopées et « rap ». Prenez l'essence de ce que vous êtes en train d'enseigner et donnez-lui un contexte rythmique qui peut être livré sous forme de chanson, de « rap » ou de récit. Pour les plus jeunes, il peut s'agir d'épeler des mots au rythme d'un métronome ou de chanter les tables de multiplication sur l'air d'une chanson populaire. Vous pouvez également déterminer l'élément principal sur lequel vous voulez mettre l'accent durant un exposé, l'idée principale d'une histoire ou le thème central d'un concept, et le présenter ensuite dans une formule ryth-mée. Par exemple, pour enseigner le concept de John Locke sur la loi natu-relle, une moitié de la classe peut réciter « loi naturelle, loi naturelle, loi naturelle, loi naturelle… » pendant que l'autre moitié répète : « vie, li-ber-té, bon-heur, vie, li-ber-té, bon-heur… » De plus, les élèves peuvent créer leurs propres chansons qui résument, synthétisent ou appliquent des élé-ments de matière qu'ils sont en train d'étudier, ce qui les amène à un niveau d'apprentissage plus élevé. Cette stratégie peut également inclure l'apport de percussions ou d'autres instruments de musique.

Discographie. Enrichisssez votre enseignement avec une liste d'enre-gistrements de pièces musicales (cassettes et disques compacts) qui illus-trent, expriment ou amplifient la matière que vous voulez transmettre. Par exemple, dans le cadre d'un cours sur la guerre civile américaine, vous pouvez trouver des chansons qui relatent cette période de l'histoire, dont « When Johnny Comes Marching Home Again », « Tenting Tonight », « The Battle Hymn of the Republic » et la chanson plus contemporaine « The Night They Drove Old Dixie Down ». Après avoir écoutées les chan-sons, les élèves peuvent discuter de leur contenu et établir des liens avec le thème du cours.

De plus, vous pouvez utiliser des extraits musicaux, des chansons et des pièces musicales enregistrées qui résument d'une façon irrésistible l'élément clé ou le message principal d'une leçon ou d'un cours. Par exemple, pour illustrer le premier principe de la dynamique de Newton (un corps reste à l'état de repos à moins qu'il ne soit forcé de modifier cet état par une force qui y est appliquée), vous pouvez faire jouer les premières paroles de la version de Sammy Davis fils de « Something's Gotta Give » (« When an irresistible force such as you... »). De telles « idées musicales » peuvent souvent servir d'amorce (créant une attente) à une leçon.

Musique aide-mémoire. Il y a vingt-cinq ans, des chercheurs en éducation de l'Europe de l'Est ont découvert que la mémoire des élèves assimilait plus facilement l'information donnée en présence d'une musique d'ambiance. La musique baroque et la musique classique, avec un temps de quatre sur quatre, se révélèrent particulièrement efficaces (ex. : le Canon de Pachelbel et les largos des concertos de Haendel, de Bach, de Telemann et de Corelli). Pour cela, les élèves doivent être détendus (la tête appuyée sur le pupitre ou étendus sur le sol) pendant que l'enseignante ou l'enseignant transmet la matière (ex. : orthographe ou vocabulaire, faits historiques, termes de science) en suivant le rythme de la musique. (*Voir Rose, 1987.*)

Concepts musicaux. Les tons musicaux constituent des outils créatifs pour exprimer des concepts, des modèles ou des schémas dans plusieurs matières. Par exemple, pour transmettre musicalement l'idée d'un cercle, commencez à fredonner une certaine note, baissez-la graduellement (ce qui représente la pente graduelle du cercle) jusqu'à une note inférieure, puis augmentez graduellement pour revenir à la note originale. Vous pouvez faire de même pour exprimer les courbes sinusoïdales, les ellipses et d'autres formes mathématiques. De plus, vous pouvez utiliser les *rythmes* pour exprimer des idées. Par exemple, dans une leçon sur « Roméo et Juliette » de Shakespeare, vous pouvez opposer des rythmes pour suggérer le conflit entre les deux familles, tandis que, au milieu, deux rythmes plus calmes peuvent entrer en harmonie entre eux (Roméo et Juliette). Comme vous pouvez le constater, cette stratégie offre beaucoup de latitude pour l'expression créatrive des enseignants et des élèves.

Musique d'ambiance. Trouvez un type de musique qui crée une ambiance ou une atmosphère appropriée à une leçon ou à une période. Il peut s'agit d'effets sonores (la plupart des sons non verbaux concernent l'intelligence musicale), de sons naturels ou de pièces classiques ou contemporaines qui favorisent un certain état émotif. Par exemple, juste avant que les élèves lisent une histoire qui se passe au bord de la mer, et peut être utile de leur faire entendre les sons de la mer (le bruit des vagues, le cri des goélands, etc.) ou « La Mer » de Claude Debussy. (*Voir Bonny et Savary 1990.*)

Stratégies d'enseignement
pour l'intelligence interpersonnelle

Certains élèves ont besoin de confronter leurs idées avec celles des autres pour pouvoir fonctionner de façon optimale en classe. Ces apprenants sociaux profitent grandement de l'émergence de l'apprentissage coopératif. Cependant, comme les intelligences interpersonnelles des élèves ne sont pas toutes développées au même niveau, il importe de faire preuve de prudence avec les méthodes qui nécessitent une interaction entre les élèves. Voici cinq stratégies qui peuvent aider à exploiter le besoin qu'a chaque élève d'appartenir et d'adhérer à un groupe : l'échange mutuel ; les sculptures humaines ; les groupes de coopératrion ; les jeux de société ; les simulations.

Échange mutuel. L'échange est peut-être la stratégie des IM la plus facile à appliquer. Il suffit de demander aux élèves de choisir une personne et d'échanger sur un sujet particulier, qui peut être varié. Vous pouvez leur demander de discuter de la matière que vous venez de voir : « Discutez d'une question que vous vous posez sur ce qui vient d'être présenté. ». Ou bien, vous pouvez commencer une leçon par un échange mutuel pour amener les élèves à faire part de ce qu'ils connaissent déjà du sujet : « Échangez trois données que vous connaissez sur les premiers colons américains. » Vous pouvez également établir un « système » selon lequel chaque élève discuterait toujours avec la même personne d'une fois à l'autre. Par contre, vous pouvez tout aussi bien encourager les élèves à échanger avec différents membres de la classe de sorte que, à la fin de l'année, chacun ait discuté avec tous les autres élèves. Ces temps de discussion peuvent être courts (trente secondes) ou longs (jusqu'à une heure ou plus). L'échange mutuel peut également se transformer en enseignement mutuel (enseignement donné par un élève à un autre) ou en enseignement entre élèves d'âges différents (enseignement donné par un élève à un autre élève plus jeune).

Sculptures humaines. On peut, à tout moment, rassembler les élèves pour leur faire représenter collectivement et physiquement une idée, un concept ou un autre objectif pédagogique particulier, c'est-à-dire pour former une *sculpture humaine*. Par exemple, si les élèves étudient le squelette, ils peuvent former une sculpture humaine d'un squelette, chacun représentant un os ou un groupe d'os. Dans le cadre d'un cours sur les inventions, les élèves peuvent former des sculptures humaines représentant différentes inventions, comprenant même les parties mobiles. Dans une classe d'algèbre, ils peuvent former une sculpture de différentes équations, chacun représentant un nombre ou une fonction de l'équation. De même, dans un cours de langue, les élèves peuvent former des sculptures pour représenter la graphie des mots (chacun représente une lettre), des phrases (chacun représente un mot) ou un paragraphe au complet (chacun représente une phrase complète). Un ou une élève peut assurer la « direction » de l'activité ou vous pouvez laisser les éléments de la sculpture s'organiser eux-mêmes. La beauté de cette méthode est que les gens représentent par eux-mêmes des notions qui ne sont habituellement présentées que dans des manuels, sur des transparents ou dans des exposés. La sculpture humaine sort l'apprentissage de son contexte théorique distant pour le placer dans un contexte social immédiatement accessible.

Groupes de coopération. La formation de petits groupes qui travaillent pour atteindre des objectifs pédagogiques communs constitue l'élément central du modèle d'apprentissage coopératif. De tels groupes travaillent probablement plus efficacement quand ils sont formés de trois à huit personnes. Les membres peuvent aborder une tâche de plusieurs façons. Par exemple, le groupe peut travailler collectivement sur un exercice de rédaction, chaque membre y apportant son idée — comme les scénaristes font quand ils préparent un épisode télévisé. Le groupe peut aussi répartir les responsabilités de différentes façons. Dans un cas, les tâches peuvent être attribuées selon la structure du travail, un membre rédigeant l'introduction, un autre s'occupant du développement et un dernier prenant en charge la conclusion. Les groupes peuvent aussi utiliser la stratégie du « casse-tête », qui consiste à confier à chaque élève la lecture d'un document ou la responsabilité d'un sous-sujet différent. Ou bien, ils peuvent assignés différents rôles à leurs membres. Ainsi, une première personne peut rédiger, une deuxième peut vérifier l'orthographe et la ponctuation, une troisième peut lire le texte devant la classe et une quatrième peut diriger la discussion qui s'ensuit.

Les groupes de coopération conviennent particulièrement bien à l'enseignement à IM, en ce sens qu'ils peuvent être structurés de façon à regrouper des élèves qui représentent le spectre complet des intelligences. Par exemple, un groupe chargé de créer une présentation vidéo peut être constitué d'un élève socialement développé qui aide à organiser le groupe, d'une élève linguistique qui rédige les textes, d'un élève spatial qui fait les illustrations, d'une élève kinesthésique qui construit les décors ou qui est l'actrice principale, etc. Les groupes de coopération permettent aux élèves d'évoluer dans une unité sociale, un préalable au bon fonctionnement dans un environnement réel de travail.

Jeux de société. Les jeux de société constituent un moyen amusant pour les élèves d'apprendre dans un contexte informel. Selon l'âge, les élèves discutent, s'obstinent sur les règlements, lancent les dés et s'amusent ou bien ils s'engagent dans un processus d'apprentissage sur l'habileté ou le sujet qui est le centre du jeu. On peut fabriquer de tels jeux avec du carton, des stylos-feutres (pour dessiner le traditionnel chemin ou sentier sinueux), une paire de dés et des autos miniatures, des figurines ou des cubes de couleurs (disponibles chez les marchands de jouets ou au magasin scolaire) qui servent de jetons. Le thème du jeu peut être n'importe quel sujet, des mathématiques aux données sur la jungle en passant par les questions sur l'histoire et les compétences phonétiques. L'information à acquérir peut se trouver sur les carrés du chemin sinueux (ex. : l'expression mathématique 5 × 7) ou sur des cartes faites avec des étiquettes de carton ou du papier de construction épais. Les réponses peuvent être fournies de différentes façons : sur une feuille de réponses séparée, à l'aide d'une « personne réponses » spécialement désignée, sur les carrés du jeu ou sur les cartes elles-mêmes. Dans ce dernier cas, il s'agit de coller une petite pièce de papier pliée sur chaque carré ; d'écrire sur le rabat supérieur, la question ou le problème et, sur le rabat inférieur, la réponse. Les joueurs n'ont qu'à ouvrir le rabat pour lire la réponse.

Vous pouvez également concevoir des jeux de société qui amènent les élèves à participer à différentes épreuves qui sont inscrites sur chacun des carrés ou sur les cartes (ex. : « dire ce que vous feriez pour diminuer ou éliminer la pollution si vous étiez le président des États-Unis » ou « chercher le mot *seuil* dans le dictionnaire »).

Simulations. Une simulation consiste pour un groupe de personnes à se rassembler et à créer un environnement « comme si ». Ce contexte temporaire permet d'avoir un contact immédiat avec la matière apprise. Par exemple, les élèves qui étudient une période de l'histoire peuvent en revêtir les costumes, transformer la classe en un endroit qui aurait existé en ce temps et agir *comme* s'ils vivaient à cette époque. De même, pour apprendre sur les régions géographiques ou sur les écosystèmes, les élèves peuvent, par exemple, transformer la classe en jungle.

Dans le cas de simulations rapides et improvisées, l'enseignante ou l'enseignant fournit un scénario instantané : « Bon, vous venez tout juste de débarquer du bateau dans le Nouveau Monde et vous restez tous ensemble. Commencez l'action ! ». Les simulations peuvent aussi être longues et nécessiter une bonne préparation, comme des accessoires, des costumes et d'autre attirail pour de créer l'illusion d'une époque ou d'une région particulière.

Bien que cette stratégie mette en jeu plusieurs intelligences (dont les intelligences kinesthésique, linguistique et spatiale), elle est proposée pour stimuler l'intelligence interpersonnelle parce que les interactions qui en découlent aident les élèves à développer un nouveau niveau de compréhension. Grâce aux conversations et à d'autres types d'interactions, les élèves commencent à acquérir une vision personnelle du sujet à l'étude.

Stratégies d'enseignement pour l'intelligence intrapersonnelle

La plupart des élèves passent environ six heures par jour, cinq jours par semaine dans une classe avec 25 ou 35 autres personnes. Pour ceux et celles dont l'intelligence intrapersonnelle est fortement développée, cette atmosphère sociale intense peut se révéler ardue. C'est pourquoi, durant la journée, les enseignants doivent régulièrement fournir des occasions aux élèves de se percevoir comme des êtres autonomes ayant une histoire unique et un sens profond de l'individualité. Voici certaines stratégies qui peuvent permettre d'atteindre ce but de façon légèrement différente : la minute réflexion ; le rapport à soi ; l'occasion de choisir ; les moments d'émotion ; l'établissement d'objectifs.

Minute de réflexion. Pendant les exposés, les discussions, les travaux ou d'autres activités, de fréquents « temps morts » devraient être prévus pour favoriser une introspection et une réflexion profonde chez les élèves. Un temps de réflexion d'une minute permet aux élèves d'assimiler les notions présentées ou de les relier à des éléments de leur vie. On peut également s'en servir comme transition, un moyen de garder les élèves alertes et de les préparer à l'activité qui suit.

La minute de réflexion peut avoir lieu n'importe quand dans la journée, mais elle est particulièrement utile après la présentation de notions spécialement difficiles ou essentielles dans le curriculum. Durant cette minute (qui peut être allongée ou raccourcie selon l'attention requise), le silence est de rigueur. Les élèves doivent simplement penser à ce qu'ils viennent de voir, et ce à leur manière. Même si le silence est habituellement propice à la réflexion, il est possible à l'occasion d'utiliser une musique d'ambiance appropriée. De plus, les élèves ne doivent pas se sentir obligés de « partager » leur sujet de réflexion. Toutefois, si certains veulent exprimer leurs pensées, ce qui pourrait être profitable pour la classe, ils peuvent le faire.

Liens personnels. La grande question que se posent les élèves intrapersonnels dans leur cheminement scolaire est :« En quoi cela peut-il avoir

un rapport avec *ma* vie ? » La plupart des élèves ont probablement déjà
posé cette question, d'une façon ou d'une autre, pendant qu'ils étaient à
l'école. Il revient aux enseignants de les aider à trouver la réponse, en établissant continuellement des liens entre la matière enseignée et la vie des
élèves. Pour y arriver, il faut intégrer les expériences, les associations et les
sentiments personnels des élèves dans votre enseignement, que ce soit à
l'aide de questions (« Combien d'entre vous ont déjà… ?), d'affirmations
(« Vous devez vous demander quel est le rapport avec votre vie. Bien, si
vous avez déjà planifié… ») ou encore de demandes (« J'aimerais que vous
pensiez à une époque de votre vie quand… »). Par exemple, pour introduire une leçon sur le squelette, vous pouvez demander : « Combien d'entre
vous se sont déjà cassé un os ? » Les élèves peuvent alors échanger leurs
histoires et leurs expériences avant le début de la leçon d'anatomie. Pour
une leçon sur la géographie mondiale, vous pouvez demander : « Est-ce
que quelqu'un est déjà allé dans un autre pays ? Quel pays ? » Les élèves
peuvent alors nommer les pays visités et les situer sur la carte.

Occasion de choisir. Offrir des choix aux élèves est non seulement un
principe fondamental d'un bon enseignement mais aussi une stratégie
particulière d'enseignement intrapersonnel. Cette stratégie consiste essentiellement à donner aux élèves l'occasion de prendre des décisions concernant leurs expériences d'apprentissage. Faire des choix, c'est comme lever
des poids : plus les élèves doivent effectuer des choix parmi un groupe
d'éléments, plus forts deviennent leurs « muscles de responsabilité ». Les
choix peuvent être petits et limités (ex. : choisir les problèmes d'une page
ou d'une autre) ou importants et vagues (ex. : sélectionner le type de travail sur lequel ils aimeraient travailler au cours du semestre). Les choix
peuvent être faits selon le contenu (ex. : décider du sujet qu'ils veulent
explorer) ou selon la méthode (ex. : choisir dans une liste une méthode de
présentation de leur projet final). Les choix peuvent être informels et faits
selon l'inspiration du moment (ex. : quand on leur demande s'ils aimeraient
continuer à discuter d'un sujet ou arrêter) ou soigneusement élaborés et
parfaitement structurés (ex. : l'utilisation d'un contrat d'apprentissage
pour chaque élève). Comment établissez-vous les choix dans votre classe ?
Il importe de trouver des moyens d'augmenter les occasions de choix que
les élèves peuvent avoir à l'école.

Moments d'émotion. Une des découvertes les plus tristes au cours de
l'étude « A Study of Schooling » de John Goodlad (1984) fut de constater
que la plupart des 1000 classes observées connaissaient peu d'expériences
de vrais sentiments, c'est-à-dire d'expressions d'excitation, d'étonnement,
de colère, de joie ou d'affection. Trop souvent, la matière est présentée aux

élèves d'une façon neutre du point de vue émotif, et ce même si on sait que les être humains possèdent un « cerveau émotif », qui consiste en plusieurs structures sous-corticales. (*Voir Holden, 1979.*) Pour nourrir ce cerveau, les éducateurs doivent donc accompagner leur enseignement d'émotions, c'est-à-dire créer des moments dans leur enseignement où les élèves rient, ressentent la colère, expriment fortement leur opinion, s'excitent sur un sujet ou ressentent un large éventail d'autres émotions. Vous pouvez y parvenir de différentes façons : premièrement en exprimant ces émotions vous-même quand vous enseignez ; deuxièmement, en mettant les élèves à l'aise d'exprimer leurs émotions dans la classe (en leur en donnant la permission, en décourageant les critiques et en leur faisant prendre conscience des émotions quand elles se produisent) ; finalement, en fournissant des occasions (ex. : des films, des livres et des idées controversées) qui éveillent les réactions émotives.

Établissement d'objectifs. Une des caractéristiques des apprenants très intrapersonnels est leur habileté à établir des objectifs réalistes pour eux-mêmes, une des compétences les plus nécessaires à la réussite d'une vie. Par conséquent, en offrant aux élèves des occasions d'établir des objectifs, les éducateurs les aident infiniment à se préparer pour la vie. Ces objectifs peuvent être faits à court terme (ex. : écrire trois choses qu'ils voudraient apprendre aujourd'hui) ou à long terme (ex. : dire comment ils se voient dans vingt-cinq ans). Le temps consacré à l'établissement des objectifs peut être seulement de quelques minutes ou nécessiter une planification en profondeur s'étalant sur plusieurs mois. Les objectifs eux-mêmes peuvent porter sur les résultats scolaires (ex. : les notes qu'ils aimeraient obtenir à la fin de la présente étape), des sujets d'apprentissages plus larges (ex. : ce qu'ils aimeraient apprendre à faire avant d'obtenir leur diplôme) ou la vie (ex. : le genre de profession qu'ils aimeraient exercer une fois l'école terminée). Il peut être bon de prévoir une période *quotidienne* pour permettre aux élèves d'établir leurs objectifs. Vous pouvez également leur montrer différents moyens de représenter ces objectifs (ex. : à l'aide de mots, de photos, etc.) et des méthodes pour suivre leur progrès (ex. : à l'aide de graphiques, de tableaux, d'un journal personnel et de courbes temporelles).

Pour une étude plus approfondie

1. Parmi les stratégies présentées dans le présent chapitre, en choisir trois qui suscitent votre intérêt et que vous n'avez jamais utilisées en classe. Lire sur le sujet ou consulter des collègues, puis faire un plan qui

décrit exactement comment vous appliquerez chaque stratégie. Donner la leçon, puis évaluer les résultats. Qu'est-ce qui a fonctionné ?
Qu'est-ce qui n'a pas fonctionné ? Quelles modifications faut-il apporter à chaque stratégie pour qu'elle ait plus de succès la prochaine fois ?

2. Choisissir une intelligence que vous n'utilisez habituellement pas en
    classe, et chercher des stratégies qui pourraient permettre de l'intégrer
    à votre enseignement. (*Voir la liste des stratégies* au chapitre 5 et la
    liste des ouvrages de référence en annexe.)

3. Proposer une grande expérience d'apprentissage aux élèves en utili-
    sant au moins une stratégie pour chaque intelligence. Par exemple,
    préparer une séance qui comprend chacun des éléments suivants : des
    sculptures humaines, de la musique d'ambiance, des moments d'émo-
    tions, des échanges mutuels, un remue-méninges, de l'encodage de
    couleur, de la quantification et du calcul. Proposer aux élèves de tra-
    vailler seuls ou dans une équipe interdisciplinaire.

7 Les intelligences multiples et l'environnement de la classe

> Nulle part ailleurs que dans une salle de classe trouve-t-on un grand groupe d'individus entassés pendant si longtemps et à qui l'on demande une entente harmonieuse et des performances élevées sur des tâches pédagogiques difficiles. [Traduction libre]
>
> — Carol Weinstein (1979)

POUR BEAUCOUP D'AMÉRICAINS, LE TERME « SALLE DE CLASSE » évoque l'image d'élèves assis à des pupitres alignés faisant face au devant de la salle où une enseignante ou un enseignant fait des corrections assis à un gros pupitre ou donne un exposé aux élèves debout près du tableau noir. C'est peut-être une façon d'organiser une classe, mais ce n'est certainement pas la seule ni la meilleure. L'environnement de la classe (ou *l'écologie* de la classe, si vous préférez), selon la théorie des intelligences multiples, doit être restructuré de fond en comble pour répondre aux besoins des différents types d'apprenants.

Les IM et les facteurs environnementaux dans l'apprentissage

Au minimum, la théorie des IM offre un cadre dans lequel les éducateurs peuvent déterminer les facteurs environnementaux qui jouent un rôle prépondérant dans l'apprentissage. En fait, chaque intelligence établit un contexte permettant de poser certaines questions profondes sur les facteurs qui favorisent ou gênent l'apprentissage dans la classe, ainsi que sur les éléments absents de la classe mais qui pourraient être ajoutés pour faciliter le progrès des élèves. Voici quelques questions qui s'imposent lors d'une révision de l'enseignement selon les sept intelligences :

Intelligence linguistique

- Comment utilise-t-on les mots parlés dans la classe ? Les mots utilisés sont-ils trop compliqués ou trop simples pour le niveau de compréhension des élèves, ou sont-ils appropriés ?
- Comment les mots écrits sont-ils présentés aux élèves ? Y a-t-il des mots affichés au mur (ex. : sous forme de citations) ? Les mots écrits sont-ils tirés de sources générales (ex. : romans, journaux, documents historiques), ou de manuels scolaires et de cahiers d'activités rédigés par des groupes de travail ?
- Y a-t-il trop de « pollution linguistique » dans la classe (exposition sans fin au travail répétitif et exigeant), ou encourage-t-on les élèves à développer leur propre matériel linguistique ?

Intelligence logico-mathématique

- Comment le temps est-il réparti en classe ? Les élèves ont-ils la chance de travailler à des projets à long terme sans être interrompus, ou doivent-ils continuellement arrêter leurs activités pour passer à un nouveau sujet ?
- La journée est-elle divisée de façon à favoriser l'attention optimale des élèves (le matin est le meilleur temps pour le travail structuré ; l'après-midi, pour des activités moins encadrées), ou les élèves ont-ils à travailler dans des conditions qui ne respectent pas les fluctuations de leur capacité d'attention ?
- Y a-t-il une certaine routine établie dans la journée scolaire (ex. : règlements, transitions efficaces) ou y a-t-il un certain chaos dans lequel il faut réinventer la roue, au début de chaque journée ?

Intelligence spatiale

- Comment les meubles sont-ils disposés dans la classe ? Y a-t-il différentes configurations spatiales pour répondre aux différents besoins d'apprentissage (ex. : des pupitres pour les travaux écrits, des tables pour les discussions ou les travaux pratiques, des coins pour l'étude individuelle), ou n'y a-t-il qu'un seul arrangement (ex. : des rangées de pupitres) ?
- La salle est-elle agréable à l'œil (ex. : œuvres d'art affichées au mur, plantes sur le rebord de la fenêtre), ou est-elle visuellement terne et désagréable ?

- La salle offre-t-elle aux élèves diverses expériences visuelles (ex. : illusions optiques, dessins animés, illustrations, films, œuvres d'art), ou ressemble-t-elle à un désert visuel ?
- Les couleurs de la salle (plancher, murs, plafond) sont-elles stimulantes ou inhibent-elles les sens des élèves ?
- Quel type d'éclairage est utilisé (fluorescent, incandescent, naturel) ? Les sources de lumière sont-elles stimulantes ou favorisent-elles la distraction et la fatigue ?
- L'environnement donne-t-il une impression d'espace, ou crée-t-il un stress chez les élèves à cause de l'entassement et du manque d'intimité ?

Intelligence kinesthésique

- Les élèves passent-ils la majeure partie du temps assis à leurs pupitres, avec peu d'occasions de bouger, ou peuvent-ils fréquemment se lever et se déplacer (ex. : au moment des pauses et des activités pratiques) ?
- Les élèves prennent-ils une collation saine, un déjeuner et un dîner équilibrés pour garder leurs corps en santé et leurs esprits alertes, ou mangent-ils des aliments sans valeur nutritive à la récréation et des repas médiocres à la cafétéria ?
- Les élèves ont-ils accès, dans la classe, à du matériel qu'ils peuvent manipuler, toucher ou utiliser pour faire des activités manuelles, ou y a-t-il des affiches « ne pas toucher » partout dans la classe ?

Intelligence musicale

- L'environnement auditif favorise-t-il l'apprentissage des élèves (ex. : musique d'ambiance, bruits normaux, sons d'ambiance agréables, silence) ou la leçon est-elle fréquemment interrompue par des bruits désagréables (ex. : sonneries stridentes, avions, automobiles et camions, machines industrielles) ?
- L'enseignante ou l'enseignant utilise sa voix de quelle façon ? Est-ce qu'il ou elle la fait varier en intensité, en inflexion et en accentuation, ou sa voix est-elle monotone, susceptible d'endormir les élèves ?

Intelligence interpersonnelle

- Y a-t-il des sentiments d'appartenance et de confiance mutuelle dans la classe, ou les élèves se sentent-ils isolés, distants ou méfiants entre eux ?

- Une procédure de médiation de conflits a-t-elle été établie entre les membres de la classe, ou la résolution des problèmes est-elle souvent confiée à une autorité supérieure (ex. : le directeur ou la directrice) ?
- Les élèves ont-ils fréquemment l'occasion d'interagir de manière positive (ex. : enseignement mutuel, discussions, projets de groupe, apprentissage coopératif, fêtes), ou sont-ils relativement isolés les uns des autres ?

Intelligence intrapersonnelle

- Les élèves ont-ils l'occasion de travailler seuls, de participer à des projets à leur rythme et de trouver du temps et un endroit pour être seuls pendant la journée, ou sont-ils toujours en interaction ?
- Les élèves ont-ils l'occasion de vivre à des expériences qui rehaussent leur perception d'eux-mêmes (ex. : estime de soi, éloge de soi et autres renforcements positifs, succès fréquents dans leurs travaux scolaires), ou sont-ils sujets à des rabaissements, à des échecs et à d'autres expériences négatives ?
- Les élèves ont-ils la chance de partager leurs sentiments avec la classe ou bien l'avoir accès aux émotions des autres est-il considéré comme une indiscrétion ?
- Les élèves qui éprouvent des troubles émotifs sont-ils suivis par quelqu'un qui peut les aider ou sont-ils simplement laissés à eux-mêmes ?
- Les élèves peuvent-ils vraiment faire des choix concernant leurs façons d'apprendre ou n'ont-ils que deux options : « Ma façon ou dehors » ?

Les réponses à ces questions sont révélatrices de la qualité de l'environnement pédagogique dans lequel les élèves évoluent. Si les réponses tendent vers le côté négatif des questions, l'apprentissage des élèves risque d'être entravé de façon importante, et ce même si les élèves arrivent en classe habiles, enthousiastes et affichent une volonté d'apprendre. Par contre, les réponses qui tendent vers l'aspect positif des questions révèlent un environnement propice à l'apprentissage et donnant la chance à tous les élèves, même à ceux qui éprouvent des problèmes scolaires, émotifs et cognitifs, de faire des grands pas dans leur développement.

Les centres d'activités IM

En plus des facteurs généraux qui viennent d'être décrits, il existe d'autres applications spécifiques de la théorie des IM quant à l'environnement de la salle de classe. Celles-ci portent surtout sur l'organisation physique de la salle de classe, allouant des aires spécifiques dédiées aux intelligences ciblées. Bien que les élèves puissent participer à une activité à IM à leurs pupitres respectifs, le fait de rester assis longtemps limite les *types* d'expériences à IM qu'ils peuvent connaître. Organiser la classe pour créer des centres « pro-intelligences » ou des centres d'activités peut donc grandement élargir les paramètres d'exploration des élèves dans chaque domaine.

Les centres d'activités peuvent prendre différentes formes. Le tableau 7.1 présente des centres d'activités à IM existant sur deux axes, l'axe A représentant les centres permanents et centres temporaires et l'axe B représentant les centres de sujet flexible et les centres de sujet précis.

Les centres permanents d'activités flexibles

Le quadrant 1 du tableau 7.1 représente des centres permanents (qui restent habituellement en place toute l'année) conçus pour fournir aux élèves un large éventail d'expériences flexibles relatives à chaque intelligence.

TABLEAU 7.1

Types de centre d'activités

Sujet flexible

Quadrant 1 : Centre permanente d'activités flexibles	Quadrant 2 : Centre temporaire d'activités flexibles

Permanent ———————————————————————— Temporaire

Axe A

A
x
e
B

Quadrant 4 : Centre permanente d'activités précises	Quadrant 3 : Centre temporaire d'activités précises

Sujet précis

Voici quelques exemples de centres conçus en fonction de chaque intelligence et, pour chacun, des suggestions de matériel entre parenthèses :

Centres linguistiques
* coin livres et bibliothèque (sièges confortables)
* laboratoire de langue (cassettes, écouteurs, livres-cassettes)
* coin rédaction (machine à écrire, traitement de texte, papier)

Centres logico-mathématiques
* laboratoire de mathématiques (calculatrices, objets de manipulation)
* coin scientifique (matériel d'expériences, matériel pour prendre des notes)

Centres spatiaux
* coin artistique (peinture, matériel de collage)
* coin média visuel (cassettes vidéo, diapositives, graphiques à l'ordinateur)
* coin concept visuel (cartes, graphiques, casse-tête, photothèque, matériel de construction tridimensionnelle)

Centres kinesthésiques
* aire ouverte pour l'exécution de mouvements créatifs (mini-trampoline, matériel de jonglerie)
* coin manuel (glaise, matériel de menuiserie, blocs)
* coin tactile (cartes en relief, échantillons de différentes textures, lettres en papier de verre)
* coin théâtre (scène, théâtre de marionnettes)

Centres musicaux
* laboratoire de musique (cassettes, écouteurs, enregistrements musicaux, baladeur)
* coin interprète (percussions, magnétophone, métronome)
* laboratoire d'écoute (boîte de « sons », stéthoscope, émetteur-récepteur portatif)

Centres interpersonnels
* table ronde pour des discussions de groupe
* pupitres placés deux par deux pour l'enseignement mutuel
* coin social (jeux de société, meubles confortables pour des rassemblements informels)

Centres intrapersonnels

- coins étude pour le travail individuel
- grenier (avec coins et recoins pour pouvoir « se cacher » et s'isoler des autres)
- coin ordinateur (pour une étude individuelle)

L'utilisation d'étiquettes claires avec une nomenclature explicite (ex. : « Centre d'intelligence linguistique » ou « Centre d'habileté avec les images ») sur chaque centre d'activités renforcera la compréhension de la théorie des IM chez les élèves. Expliquez aux élèves que chacun des centres est nommé selon l'intelligence qui y est *la plus* utilisée. Précisez également que puisque les intelligences sont toujours en interaction, ils n'ont pas à changer d'aire d'activités si, par exemple, ils veulent ajouter une image au texte qu'ils rédigent dans l'aire d'habileté avec les mots.

Les centres temporaires d'activités précises

Dans le quadrant 3 du tableau 7.1, en diagonale avec le quadrant 1, se trouvent les centres d'activités spécifiques, qui changent fréquemment selon le thème ou le sujet à l'étude. Par exemple, dans le cadre d'un thème sur les maisons, vous pouvez créer sept centres d'activités différentes ou des « stations de tâches » permettant aux élèves de faire des activités spécifiques à chaque intelligence. En voici quelques exemples :

Centre linguistique : un coin lecture où les élèves lisent des livres sur les maisons et rédigent un compte rendu de leur lecture.

Centre logico-mathématique : un coin calcul où les élèves comparent les coûts, la superficie ou d'autres statistiques concernant les différentes maisons.

Centre spatial : un coin dessin où les élèves peuvent concevoir et dessiner une maison futuriste.

Centre kinesthésique : un coin construction où les élèves créent un modèle de maison avec du balsa et de la colle.

Centre musical : un coin musique où les élèves écoutent des chansons qui parlent d'habitations et composent leurs propres chansons.

Centre interpersonnel : un coin interaction où les élèves « jouent à la maison » (simulent un environnement à la maison avec les autres).

Centre intrapersonnel : un coin expérience où les élèves pensent, écrivent, dessinent et miment des expériences personnelles, en s'imaginant être dans la maison où ils vivent ou la maison de leurs rêves.

Les centres temporaires d'activités libres

Le quadrant 2 du tableau 7.1 représente les centres d'activités pour l'exploration libre pouvant être démontées rapidement. Il peut tout simplement s'agir de sept tables autour de la classe, chacune identifiée au nom d'une des sept intelligences et offrant du matériel spécifique à l'intelligence en question, pour permettre aux élèves de faire des activités libres. Les jeux conviennent particulièrement bien à ce type d'aire. En voici quelques exemples :

- *centre linguistique :* Scrabble
- *centre logico-mathématique* : Monopoly
- *centre spatiale :* Pictionary
- *centre kinesthésique :* Twister
- *centre musical :* Simon
- *centre interpersonnel :* La Guerre des clans
- *centre intrapersonnel :* Ungame

Les centres temporaires d'activités libres sont particulièrement utiles pour présenter aux élèves la notion des intelligences multiples et pour leur faire vivre rapidement des expériences qui illustrent les intelligences.

Les centres permanents d'activités spécifiques à un sujet (changeants)

Finalement, le quadrant 4 du tableau 7.1 représente les centres d'activités qui sont essentiellement une combinaison des centres du quadrant 1 (continus et permanents) et du quadrant 3 (spécifiques et temporaires). Les centres permanents d'activités spécifiques conviennent très bien aux enseignants qui travaillent avec des thèmes échelonnés sur l'année, en accord avec le modèle « *Integrated Thematic Instruction* » (Enseignement thématique intégré) de Susan Kovalik (1993). Ce type de centre reste en place toute l'année et fournit du matériel et certaines ressources qui ne changent jamais (ex. : matériel artistique au centre spatial et matériel pour les travaux manuels au centre kinesthésique). Cependant, à l'intérieur de chaque centre se trouvent des « explorations » dont les éléments changent tous les mois ou toutes les semaines, selon le sujet du thème annuel. Par exemple, si le thème annuel est « changement » (ou plutôt « Est-ce que tout change ? »), l'élément du mois pourrait être les saisons et le sujet de chaque semaine pourrait être une saison différente. Ainsi, les centres d'activités peuvent se concentrer sur l'hiver durant une semaine, sur le printemps la semaine suivante, puis sur l'été et l'automne les semaines subséquentes. On peut alors trouver, dans chacun des centres, des cartes d'activités qui indiquent aux élèves sur quoi ils peuvent travailler, seuls ou avec d'autres.

Les indications sur les cartes d'activités du sujet « été », par exemple, pourraient être les suivantes :

Centre linguistique : « Écrivez un poème sur vos projets pour l'été prochain. Si vous êtes en groupe, désignez d'abord une personne pour écrire le poème. Ensuite, chaque personne compose une ligne du poème. Finalement, choisissez quelqu'un qui le lira devant la classe. »

Centre logico-mathématique : « Trouvez d'abord combien de jours dureront vos vacances d'été. Calculez ensuite le nombre de minutes contenues dans ce nombre de jours. Finalement, calculez en secondes la durée de ces vacances. Si vous êtes en groupe, faites part de vos réponses aux autres membres. »

Centre spatial : « Dessinez certaines choses que vous comptez faire pendant l'été. Si vous êtes en groupe, faites un dessin collectif sur une grande feuille affichée au mur. »

Centre kinesthésique : « Créez votre propre conception de l'été avec de la glaise. Si vous êtes en groupe, participez avec les autres membres du groupe à la création d'une sculpture ou improvisez rapidement une courte pièce pour parler des activités estivales préférées du groupe. »

Centre musical : « Composez un « rap » ou une chanson sur l'été. Si vous êtes en groupe, écrivez ensemble une chanson qui sera chantée devant la classe ou faites un remue-méninges pour trouver toutes les chansons qui concernent l'été, puis préparez-vous à en chanter quelques-unes à la classe. »

Cetnre interpersonnel : « Discutez en groupe de ce qui, selon vous, peut faire un été *fantastique* et choisissez un porte-parole pour résumer votre discussion à la classe. »

Centre intrapersonnel : « Faites une liste ou une série de croquis de toutes les choses que vous aimez à propos de l'été. » [*Note :* les élèves travaillent individuellement à ce centre.]

Le choix des élèves et les centres d'activités

Les élèves devraient-ils pouvoir choisir le centre d'activités où ils travaillent ? La réponse à cette question dépend du type de centre d'activités (de quel quadrant) et du but de chacune. Généralement, les centre d'activités des quadrants 1 et 2 (ceux qui concernent les expériences libres) conviennent le mieux aux « choix ». Autrement dit, ces activités peuvent être offertes pendant les pauses, les récréations ou les « activités libres », une fois les autres travaux scolaires terminés. Quand ils sont utilisés de cette façon, les centres d'activités permettent d'évaluer les inclinations des élèves par rapport aux sept intelligences. Habituellement, les élèves vont vers les centres d'activités qui correspondent aux intelligences dans lesquelles ils se sentent compétents. Par exemple, ceux et celles qui se rendent fréquemment au centre « habileté avec les images » et qui font souvent des dessins envoient un message puissant à leur enseignante ou à leur enseignant sur l'importance de la représentation visuelle dans leurs vies.

Les centres d'activités des quadrants 3 et 4 mettent l'accent sur l'étude dirigée. Par conséquent, quand vous utilisez ce type de centres, les élèves peuvent choisir dans quel centre d'activités ils veulent *commencer*, mais ils doivent ensuite passer de l'un à l'autre dans le sens des aiguilles d'une montre, jusqu'à ce que chacun ait visité les sept centres. Si vous utilisez ce système de rotation d'une fois à l'autre avec les centres d'activités des quadrants 1 et 2, vous aurez l'assurance que les élèves expérimenteront tout le spectre des intelligences.

Les centres d'activités permettent aux élèves d'expérimenter un apprentissage « actif ». Ils représentent l'oasis dans le désert pour de nombreux élèves qui ont soif d'autre chose que des feuilles d'activités et de travail individuel à leurs pupitres. La théorie des IM permet de structurer les centres d'activités, de façon à ce que tout l'éventail des potentiels d'apprentissage des élèves soit activé. Bien que les descriptions qui viennent d'être données soient limitées à des centres basés sur les intelligences distinctes, rien n'empêche de combiner les intelligences de diverses façons, dans chacun des centres. En ce sens, pratiquement tout centre d'activités qui va au-delà de la simple lecture, de la rédaction ou du calcul peut être qualifié de centre à IM. Un « centre naturaliste » qui combine les intelligences logico-mathématique et kinesthésique, ou encore un coin compositeur qui combine les intelligences linguistique et musicale, en sont deux exemples.

Pour une étude plus approfondie

1. Examiner l'environnement de votre classe en répondant aux questions formulées aux pages 86 à 89, puis noter les modifications qu'il serait souhaitable d'apporter dans l'écologie de votre classe en ordre de priorités (en plaçant sur une liste à part les éléments que vous ne pouvez pas changer). Apporter ensuite les modifications que vous *pouvez* effectuer, une à la fois.

2. Installer des centres d'activités à IM dans la classe. Décider d'abord par quel centre vous aimeriez commencer (les aires des quadrants 1, 2,

3 ou 4), dresser la liste du matériel nécessaire et préparer un horaire d'installation. Demander l'aide de parents ou de collègues, au besoin.

Dans le cas des centres permanents, évaluer le projet après deux ou trois semaines d'utilisation. Dans le cas des centres temporaires, en évaluer le rendement dès que les élèves les ont essayés. Utiliser votre autoévaluation pour guider la conception d'autres centres.

3. Pour présenter l'idée des centres d'activités à votre classe, choisir un sujet qui a une charge émotive et dont tout le monde a fait l'expérience — par exemple, la restauration rapide ou « fast food ». Installer sept affiches à différents endroits autour de la classe, chacune portant le symbole d'une intelligence puis coller une « carte de tâche », sous chaque affiche. Inviter les élèves à choisir l'intelligence avec laquelle ils se sentent le plus à l'aise, en vous assurant de leur présenter la théorie des IM avant d'aborder cette activité. (*Voir le chapitre 3 pour des idées sur la présentation.*) Proposer alors aux élèves de lire la tâche correspondant à leur centre et de commencer à y travailler en coopération. Prévoir du temps pour que les groupes puissent présenter leurs découvertes. Voici quelques suggestions de tâches relatives au sujet restauration rapide ou « fast food » :

- *tâche linguistique :* « Composez un poème sur le sujet. »
- *tâche logico-mathématique :* « À l'aide du tableau des valeurs nutritives fourni dans le document sur la restauration rapide que vous voyez, créez un repas de restauration rapide le moins gras possible ; puis créez-en un autre le plus gras possible. »
- *tâche spatiale :* « Créez une affiche murale sur les habitudes des consommateurs de restauration rapide. »
- *tâche kinesthésique :* « Créez un jeu de rôles ou une publicité (avec ou sans paroles) sur les habitudes des consommateurs de restauration rapide, puis présentez-le à la classe. »
- *tâche musicale :* « Écrivez une chanson publicitaire ou un rap sur les habitudes des consommateurs de restauration rapide, puis chantez-le devant la classe. »
- *tâche interpersonnelle :* « Discutez entre vous de vos habitudes de consommation de restauration rapide, puis rencontrez le reste de la classe pour connaître leurs habitudes. Choisissez un ou une secrétaire pour noter et rapporter les résultats. »
- *tâche intrapersonnelle :* « Réfléchissez aux questions suivantes : Si vous étiez de la nourriture de restauration rapide, que seriez-vous ? Pourquoi ? Notez les résultats de votre réflexion au moyen de votre choix (ex. : dessin, texte ou mime). Vous pouvez travailler individuellement ou en groupe. »

8 Les intelligences multiples et la gestion de classe

> La nature dote l'enfant d'une certaine sensibilité, d'un sens intérieur qui lui permet de distinguer les relations entre les objets, plutôt que les objets eux-mêmes. C'est pourquoi, dans un tel environnement, les différentes parties sont interdépendantes. Quand une personne se trouve dans cet environnement, elle peut diriger ses activités pour atteindre des objectifs particuliers. Un tel environnement fournit les fondements d'une vie intégrée. [Traduction libre]
>
> — Maria Montessori (1972)

UNE CLASSE EST UNE MICRO-SOCIÉTÉ REMPLIE de citoyens élèves, dont plusieurs ont des besoins et des champs d'intérêt divergents. Par conséquent, les règles, la routine et une procédure sont essentielles à l'infrastructure de la classe. La théorie des IM, bien qu'elle ne fournisse pas un schéma de gestion de classe en elle-même, offre un nouveau point de vue sur les différentes stratégies à utiliser pour « garder la paix » et assurer un environnement pédagogique calme.

Les moyens d'obtenir l'attention des élèves

La meilleure illustration de l'utilité de la théorie des IM au niveau de la gestion de classe se situe peut-être dans les moyens utilisés par les enseignants pour obtenir l'attention des élèves au début d'une leçon ou d'une nouvelle activité pédagogique. Une comédie, il y a quelques années, mettait en scène les tentatives d'une enseignante pour rétablir l'ordre dans sa classe. Dans le brouhaha des élèves, cette enseignante dit d'une voix forte : « Silence ! ». Elle répéta encore plus fort : « Silence ! ». Voyant que cela ne servait à rien, elle s'écria : « Taisez-vous ! ». Alors, la classe se calma. Cependant, le bavardage recommença, le bruit augmenta, puis elle dut recommencer le même manège : « Silence !… Silence !… Silence !… Taisez-vous ! », puis encore une fois le silence. Elle répéta cela plusieurs fois jusqu'à ce que la futilité de ses tentatives devienne douloureusement (et drôlement) évidente.

Les enseignants rient de cette situation parce que plusieurs d'entre eux ont déjà connu cette expérience. Cependant, du point de vue des intelligences multiples, l'utilisation de mots simples pour calmer une classe (approche *linguistique*) peut être perçue comme le moyen *le moins* efficace pour obtenir l'attention de la classe. C'est que, souvent, les demandes ou les commandes linguistiques (comme des « protagonistes ») se fondent dans le vacarme linguistique (comme une « mêlée ») des élèves, de sorte que ceux-ci ne reconnaissent pas facilement la voix de l'enseignante ou de l'enseignant parmi celles qui les entourent, et qu'ils ne portent donc pas attention aux directives. Même si le phénomène est particulièrement évident en présence d'élèves chez qui on a diagnostiqué des « problèmes d'attention », il existe à un certain degré chez la plupart des élèves.

Un examen des techniques les plus efficaces utilisées pour capter l'attention des élèves suggère un déplacement vers d'autres intelligences. Par exemple, on peut jouer un accord de piano pour demander le silence (intelligence musicale) dans une classe de maternelle, on peut faire clignoter la lumière pour attirer l'attention des élèves (intelligence spatiale) dans une classe de 4e et on peut utiliser le silence comme un appel à l'autoresponsabilité (intelligence intrapersonnelle) dans une classe du secondaire. Tous ces exemples démontrent qu'il est préférable de recevoir à un moyen autre que linguistique pour obtenir l'attention des élèves. Voici quelques stratégies pour y arriver :

Stratégie linguistique : Écrivez « Silence, s'il vous plaît ! » au tableau.

Stratégie musicale : Tapez des mains une courte séquence rythmée et demandez aux élèves de répondre en tapant à leur tour.

Stratégie kinesthésique : Placez un doigt devant votre bouche pour suggérer le silence, tenez votre bras libre en l'air, puis demandez aux élèves de faire la même chose.

Stratégie spatiale : Affichez la photo d'une classe attentive au tableau et pointez-la.

Stratégie logico-mathématique : Utilisez un chronomètre pour compter le temps qui s'écoule, écrivez au tableau le nombre de secondes écoulées à toutes les 30 secondes, puis informez les élèves qu'il s'agit là de temps d'enseignement perdu qu'il faudra reprendre plus tard.

Stratégie interpersonnelle : Chuchotez à l'oreille d'un ou d'une élève : « c'est le temps de commencer, fais passer le message », puis attendez que le message ait traversé la classe.

Stratégie intrapersonnelle : Commencez la leçon et permettez aux élèves d'être responsable de leur propre comportement.

En observant ces « trucs du métier » dans une perspective des intelligences multiples, il est possible de dégager une méthodologie fondamentale qui peut servir à organiser d'autres types d'actions pédagogiques, comme la préparation des élèves pour les transitions, le début des activités, la communication de consignes et de règles de la classe ainsi que la formation de petits groupes. Le mécanisme sous-jacent à chacune de ces actions suppose essentiellement qu'il faut informer les élèves que les symboles utilisés dans une ou plusieurs intelligences se rapportent à une directive ou à un comportement spécial. Autrement dit, les enseignants doivent recourir à des moyens autres que les simples paroles pour interpeller les élèves, à savoir des images ou des symboles graphiques (intelligence spatiale), des gestes ou des mouvements physiques (intelligence kinesthésique), des phrases musicales (intelligence musicale), des schémas logiques (intelligence logico-mathématique), des signaux sociaux (intelligence interpersonnelle) et des stimuli qui s'adressent aux émotions (intelligence intrapersonnelle).

La préparation aux transitions

Pour aider les élèves à se préparer aux transitions, vous pouvez leur enseigner des signaux spéciaux pour chaque type de transition. Si vous optez pour l'intelligence musicale, par exemple, vous pouvez expliquer que vous utiliserez différentes musiques pour signaler les différentes transitions :

- *la musique « préparez-vous pour la récréation » :* la Symphonie pastorale de Beethoven (sixième Symphonie) ;
- *la musique « préparez-vous pour le dîner » :* « Food, Glorious Food » de Oliver ! ;
- *la musique « préparez-vous à quitter » :* le mouvement « Goin' Home » de la Neuvième Symphonie de Dvorak.

Si vous vous concentrez sur l'intelligence spatiale, des symboles graphiques ou des photos peuvent être utilisés pour signaler qu'il est temps de se préparer à quelque chose, entre autres des diapositives ou des photos des élèves :

- *image « préparez-vous pour la récréation » :* photos d'enfants qui jouent ;
- *image « préparez-vous pour le dîner » :* photos d'enfants qui mangent à la cafétéria ;
- *image « préparez-vous à quitter » :* photos d'enfants qui montent dans un autobus scolaire ou qui marchent vers la maison.

Pour ce qui est de l'intelligence kinesthésique, vous pouvez faire certains gestes ou mouvements pour annoncer l'activité qui s'en vient. Il s'agit pour l'enseignante ou l'enseignant d'exécuter le geste puis, pour les élèves, de limiter pour indiquer qu'ils ont bien reçu le message :

- *geste « préparez-vous pour la récréation » :* étirement et bâillement (ce qui signifie qu'il est temps de faire une pause) ;
- *geste « préparez-vous pour le dîner » :* frottement de l'estomac et mouvement de la langue sur les lèvres ;
- *geste « préparez-vous à quitter » :* regard vers l'extérieur avec la main posée au-dessus des yeux (ce qui signifie qu'on regarde vers la maison).

Pour l'intelligence logico-mathématique, vous pouvez installer une grosse horloge digitale qui fait un compte à rebours, de sorte que les élèves puissent voir de n'importe où le temps qu'il reste avant la transition. Pour ce qui est de l'intelligence interpersonnelle, vous pouvez utiliser la méthode du téléphone pyramidal. Il s'agit de donner le signal à un ou une élève, qui le donne à son tour à *deux* élèves, qui le donnent à leur tour à deux autres élèves, etc. jusqu'à ce que tous les élèves aient reçu le signal.

La communication des règles de la classe

Quelques moyens peuvent être utilisés pour transmettre les règles de conduite de l'école ou de la classe. En voici quelques-uns qui respectent les intelligences multiples :

Communication linguistique : les règles écrites sont affichées dans la classe (méthode la plus traditionnelle).

Communication logico-mathématique : les règles sont numérotées et on utilise leurs numéros pour y faire référence (ex. : « tu viens de transgresser la règle n° 4 »).

Communication spatiale : les règles écrites sont accompagnées de symboles graphiques qui expriment ce qu'il faut et ne faut pas faire.

Communication kinesthésique : chaque règle correspond à un geste particulier et les élèves doivent démontrer qu'ils connaissent les règlements en exécutant les différents gestes.

Communication musicale : les règles sont mises en chanson (chanson écrite par les élèves ou sur un air connu), ou chaque règle est associée à une chanson.

Communication interpersonnelle : chaque règle est attribuée à un petit groupe d'élèves qui a la responsabilité de l'analyser à fond, de l'interpréter et de la mettre en application.

Communication intrapersonnelle : les élèves ont la responsabilité d'établir les règles de la classe au début de l'année et de trouver des moyens de les communiquer aux autres.

Demander aux élèves d'établir les règles de la classe est un moyen courant d'obtenir leur accord. De même, demander aux élèves d'élaborer leurs propres stratégies à IM ou leurs propres signaux pour la procédure de la classe est un moyen pratique d'établir des signaux efficaces. Les élèves peuvent vouloir choisir leur propre musique, créer leurs propres gestes ou dessiner leurs propres symboles graphiques pour signaler à la classe les différentes activités, transitions, règles ou procédures.

La formation de groupes

Une autre application que peut avoir la théorie des IM par rapport à la direction de la classe est la formation de petits groupes. Bien que les groupes soient souvent formés d'après des facteurs intrinsèques (ex. : les champs d'intérêt ou les habiletés), les éducateurs constatent de plus en plus la valeur des groupes hétérogènes qui travaillent en coopération. La théorie des IM offre un grand nombre de techniques permettant de former des groupes hétérogènes selon des aspects secondaires relatifs à chaque intelligence. Voici quelques idées adaptées du travail de Joel Goodman et Matt Weinstein (1980) :

Stratégie linguistique : « Choisissez une voyelle de votre prénom, puis prononcez-la à voix haute. Déambulez dans la classe et trouvez trois ou quatre personnes qui prononcent la *même* voyelle. »

Stratégie logico-mathématique : « À mon signal, levez de un à cinq doigts… Allez-y ! Maintenant, gardez les doigts levés et trouvez trois ou quatre personnes dont le total des doigts levés combinés avec les vôtres donne quinze. »

Stratégie spatiale : « Trouvez trois ou quatre personnes qui portent des vêtements qui ont les mêmes couleurs que les vôtres. »

Stratégie kinesthésique : « Sautillez sur un pied… Maintenant, trouvez trois ou quatre personnes qui sautillent sur le même pied. »

Stratégie musicale : « Quelles sont les chansons que tout le monde connaît ? » L'enseignante ou l'enseignant en écrit quatre ou cinq au tableau (ex. : « « Frère Jacques », « Joyeux anniversaire » « Bon, passez à tour de rôle devant moi et je vous chuchoterai à l'oreille une de ces chansons. Retenez-la et, à mon signal, chantez la chanson, puis trouvez tous ceux qui chantent la même chanson que vous… Allez-y ! »

Il n'est pas nécessaire de s'adresser à *toutes* les intelligences quand vous concevez un schéma de direction de la classe. Cependant, en dépassant la méthode linguistique traditionnelle et en utilisant quelques-unes des autres intelligences (un minimum de deux ou de trois), vous donnerez davantage l'occasion aux élèves d'assimiler la procédure en classe.

La gestion des comportements individuels

Peu importe avec quelle efficacité vous transmettez les règles, les routines et la procédure, il y aura toujours quelques élèves qui (à cause de différences ou de problèmes biologiques, émotifs ou cognitifs) n'arriveront pas à s'y conformer. Vous perdrez alors perdre beaucoup de temps à rappeler (à travers différentes intelligences) à ces quelques élèves de s'asseoir, d'arrêter de lancer des objets, d'arrêter de se chamailler et d'être sages. Bien que la théorie des IM ne fournisse aucune formule magique pour ce type de problème (aucun modèle n'en a), elle peut offrir un contexte qui permet d'examiner différents systèmes disciplinaires qui se sont révélés efficaces auprès d'enfants ayant des comportements difficiles. Selon la théorie des IM, il n'existe évidemment pas d'approche disciplinaire convenant à tous les enfants, et les enseignants devraient doivent combiner différentes approches disciplinaires pour les différents types d'apprenants. Voici des exemples de méthodes disciplinaires pour chacune des sept intelligences :

Méthodes disciplinaires linguistiques

- Parlez avec les élèves.
- Mettez à la disposition des élèves des livres qui traitent du problème et qui donnent des solutions.
- Aidez les élèves à utiliser des stratégies telles que « se parler à soi-même » pour reprendre la maîtrise d'eux-mêmes.
- Racontez des histoires qui mettent l'accent sur la discipline (ex. : « Le garçon qui criait au loup », pour corriger un enfant porté à mentir).

Méthodes disciplinaires logico-mathématiques

- Utilisez l'approche des conséquences logiques de Dreikurs (Dreikurs et Soltz, 1964).
- Demandez aux élèves de quantifier les occurrences de comportements négatifs ou positifs et de les porter sur un graphique.

Méthodes disciplinaires spatiales

- Demandez aux élèves de dessiner ou de visualiser les comportements souhaités.
- Créez une métaphore qui permettrait aux élèves de surmonter leurs difficultés : « Si vous étiez un animal, lequel aimeriez-vous être ? » ou « Si les gens disent de mauvaises choses à votre sujet, visualisez ces paroles comme des flèches que vous pouvez esquiver. »
- Faites visionner aux élèves des diapositives ou des films qui traitent du sujet ou qui concernent les bons comportements.

Méthodes disciplinaires kinesthésiques

- Demandez aux élèves de jouer les bons et les mauvais comportements.
- Proposez aux élèves des moyens physiques pour faire face à des situations stressantes (ex. : prendre de grandes respirations, contracter et relâcher les muscles).

Méthodes disciplinaires musicales

- Trouvez une chanson qui traite du problème de l'élève.
- Trouvez de la musique qui reflète un comportement précis (ex. : de la musique apaisante pour un enfant turbulent).

• Enseignez aux élèves à « jouer » leur musique préférée dans leur tête quand ils sentent qu'ils perdent la maîtrise d'eux-mêmes.

Méthodes disciplinaires interpersonnelles

• Formez un groupe de conseil composés des pairs.
• Jumelez l'élève à un ou à une élève modèle.
• Demandez à l'élève d'enseigner à un ou à une plus jeune ou de s'en occuper.
• Donnez à l'élèves d'autres tâches sociales (ex. : la présidence d'un groupe).

Méthodes disciplinaires intrapersonnelles

• Enseignez aux élèves à se rendre d'eux-mêmes dans un coin de repos non punitif pour reprendre la maîtrise d'eux-mêmes.
• Donnez des conseils individuels.
• Établissez un contrat de comportement.
• Donnez la chance à l'élève de travailler à des projets qui l'intéressent au plus haut point.
• Organisez des activités qui rehaussent l'estime de soi.

Les stratégies du comportement peuvent davantage s'adapter aux besoins des élèves qui éprouvent des types de problèmes particuliers. Le tableau 8.1 plus loin décrit certaines de ces interventions.

Un point de vue plus large

Bien sûr, les stratégies décrites précédemment ne peuvent aucunement remplacer le suivi d'une équipe de professionnels auprès de l'élève qui éprouve des problèmes émotifs ou comportementaux. Cependant, la théorie des IM est commode en ce sens qu'elle propose aux enseignants plusieurs stratégies et systèmes disciplinaires pour gérer le comportement des élèves. Elle donne également des directives pour choisir et essayer des interventions, selon les différences individuelles des élèves.

Quelquefois, la stratégie qui fonctionne le mieux avec un élève peut être celle qui correspond à une intelligence peu développée chez lui. Par exemple, si une élève a des problèmes de comportement à cause d'une intelligence interpersonnelle sous-développée, il peut être opportun de l'amener à participer à des activités qui tendent à développer ses aptitudes sociales. Par contre, dans d'autres cas, les meilleures stratégies touchent les aspects dominants de l'élève. Par exemple, vous ne donneriez probablement pas

TABLEAU 8.1

Stratégies des IM pour gérer les comportements individuels

	Élève agressif	Élève renfermé ou renfermée	Élève hyperactif ou hyperactive
Linguistique	Bibliothérapie sur le thème de la colère	Roman introspectif qui met en scène l'amitié (ex. : le jardin secret)	Livres qui traitent de l'hyperactivité
Logico-mathématique	Modèle de conséquences logiques de Dreikurs	Réseau informatique interactif, club d'échecs, etc.	Quantification du temps alloué à chaque activité
Spatiale	Utilisation d'une métaphore (ex. : animal préféré), visualisation des interdits	Films qui traitent d'un enfant renfermé qui se fait un ami ou une amie	Jeux vidéo qui aident à développer la concentration et la maîtrise de soi
Kinesthésique	Jeu de rôles sur le comportement agressif et comportements à favoriser	Jumelage avec une personne de confiance pour les promenades, les sports, les jeux, etc.	Relaxation progressive, yoga, apprentissage pratique
Musicale	Musique d'harmonie	Musique entraînante	Musique apaisante
Interpersonnelle	Jumelage avec un ou une enfant de tempérament colérique semblable	Thérapie de groupe	Rôle de direction dans un groupe d'apprentissage coopératif
Intrapersonnelle	Temps de réflexion, contrat	Thérapie individuelle	Exercices favorisant le calme

de la lecture à un élève qui éprouve des difficultés à lire et à exprimer ses frustrations. Cette stratégie ne ferait qu'aggraver la situation. Par ailleurs, aider un ou une élève à *maîtriser* un problème de lecture peut grandement contribuer à améliorer son comportement. Dans le cas d'une élève qui apprend facilement avec les textes écrits, l'utilisation de stratégies de comportement associées à cette force pourrait faire partie des meilleurs choix.

Finalement, la théorie des IM utilisée dans le cadre de la gestion de classe dépasse la simple utilisation de techniques et de stratégies behavioristes. Elle peut aussi largement influencer le comportement des élèves dans la classe en créant simplement un environnement où les besoins de chacun sont reconnus et comblés toute la journée. Dans un tel environnement, les élèves sont moins susceptibles d'éprouver de la confusion, de la frustration ou du stress. Les interventions disciplinaires sont alors moins fréquentes ; ce qui n'est pas le cas quand l'environnement pédagogique se détériore. Comme Leslie Hart l'a signalé :

> Gestion de classe, discipline, épuisement professionnel des professeurs, échecs des élèves, voilà tous des problèmes inhérents à l'approche du « professeur qui fait tout ». Permettez à vos élèves d'utiliser active-ment leurs cerveaux pour apprendre et encouragez–les à le faire. Les résultats peuvent être surprenants. (Hart 1981, p. 40)

Pour une étude plus approfondie

1. Choisir une procédure à laquelle les élèves ont de la difficulté à s'adapter (ex. : passage d'une activité à une autre, apprentissage des règles de la classe) et essayer différents trucs spécifiques des intelli-gences pour les aider à la maîtriser.

2. Essayer des moyens autres que verbaux pour obtenir l'attention des élèves à l'aide des intelligences musicale, spatiale, kinesthésique, interpersonnelle, logico-mathématique ou intrapersonnelle. Créer des trucs différents de ceux proposés dans ce chapitre.

3. Choisir un élève particulièrement turbulent en classe ou présentant un comportement difficile à comprendre, puis déterminer ses intelligences les plus développées (en utilisant les stratégies de détermination du chapitre 3). Sélectionner ensuite les stratégies de comportement asso-ciées à ces intelligences. Tenir compte également des stratégies asso-ciées à ses intelligences les moins développées qui pourraient aider au développement de compétences dans les domaines qui en ont besoin. Évaluer les résultats.

4. Réviser les systèmes comportementaux actuellement utilisés dans votre classe ou dans votre école. Noter à quelles intelligences ils s'adressent et en quoi ils conviennent ou non aux forces d'apprentis-sage de vos élèves.

5. Déterminer des éléments de gestion de classe qui n'ont pas été men-tionnés dans ce chapitre et les associer à la théorie des IM d'une manière tangible. Quels sont les avantages d'utiliser la théorie des IM pour gérer les problèmes de la classe ? Quelles en sont les limites ?

9 L'école à intelligences multiples

L'école que nous préconisons s'engage à encourager la compréhension profonde des élèves envers plusieurs matières de base. Elle encourage les élèves à utiliser cette connaissance pour accomplir les tâches et résoudre les problèmes auxquels ils pourraient avoir à faire face dans leur communauté. En même temps, l'école essaie d'encourager la combinaison unique d'intelligences que possède chacun de ses élèves, en évaluant régulièrement leur développement de manière à respecter leurs intelligences. [Traduction libre]

— Howard Gardner

LES IMPLICATIONS DE LA THÉORIE DES **IM** DÉBORDENT largement du cadre de l'éducation. En fait, la théorie des intelligences multiples ne vise rien de moins qu'un changement fondamental de la structure scolaire*. Le message qu'elle envoie aux éducateurs du monde entier est le suivant : les enfants qui se présentent à l'école au début de l'année ont le droit de recevoir une éducation faite d'expériences qui activent et développent toutes leurs intelligences. En effet, au cours d'une journée de classe, chaque élève doit bénéficier de cours, de projets ou de programmes qui favorisent le développement de chacune de ses intelligences, et non seulement à des

---

* Le groupe Harvard Project Zero de Gardner collabore actuellement avec la *Coalition of Essentiel Schools*, le *Yale Shool Development Program*, le *Educational Development Center* et trois commissions scolaires de la Côte Est sur le développement de *ATLAS Communities* [*Authentic Teaching, Learning, and Assessment for all Students* (enseignement, apprentissage et évaluation authentique pour tous les élèves)], écoles fondées par le *New American School Development Corporation* et « qui briseront le moule » . Pour plus de renseignements, écrire à : *EDC, 55 Chapel St., Newton, MA 02160.*

techniques verbales et logiques idéalisées depuis des décennies dans l'éducation américaine.

Les IM et l'école traditionnelle

Aujourd'hui, dans la plupart des écoles américaines, on a tendance à considérer les programmes qui se concentrent sur les intelligences négligées (musicale, spatiale, kinesthésique, interpersonnelle et intrapersonnelle) comme des sujets « superflus » ou, du moins, comme des sujets à la périphérie des cours « centraux ». À preuve, quand une commission scolaire connaît une crise financière, les administrateurs ne se tournent habituellement pas en premier lieu vers les programmes de lecture et de mathématiques pour trouver des moyens d'économiser de l'argent. Ils commencent plutôt par éliminer les programmes de musique, d'arts et d'éducation physique. (*Voir Viadero, 1991.*) Même quand ces programmes sont maintenus, on sent souvent la subtile influence des demandes pour un enseignement verbal et logique. John Goodlad, commentant certaines observations des écoles dans son étude « A Study of Schooling », écrit : « Je suis déçu de constater à quel point les cours d'art baignent dans une ambiance d'anglais, de mathématiques et d'autres matières... Elles ne transmettent pas l'image de l'expression individuelle ni de la création artistique vers laquelle nous conduit la rhétorique d'une pratique tournée vers l'avenir du domaine. » (*Goodlad, 1984, p. 220*) Goodlad a découvert que les classes d'éducation physique présentent le même défaut : « Tout ce que l'on pourrait appeler un programme était pratiquement inexistant. Le cours d'éducation physique était une récréation surveillée par un professeur... » (*Goodlad, 1984, p. 222*)

Les administrateurs et les autres personnes qui participent à la formation des programmes dans les écoles peuvent s'inspirer de la théorie des IM comme structure de base pour s'assurer que chaque élève a *tous les jours* la chance d'interagir directement avec chacune des sept intelligences. Le tableau 9.1 suggère certains des aspects du programme d'études qui recouvrent les sept intelligences, y compris les cours traditionnels, les programmes supplémentaires et la vie scolaire.

Les éléments d'une école à IM

Cependant, l'école qui ne fait que simplement donner aux élèves l'accès à diverses matières ne constitue pas une école à intelligences multiples. Dans un récent ouvrage sur la théorie des IM, Gardner (1993a) établit sa vision de l'école à intelligences multiples idéale, notamment en prenant deux modèles non scolaires pour illustrer comment les écoles à IM devraient être structurées. Premièrement, les écoles à IM devraient, à son avis, ressembler en partie aux musées contemporains pour enfants. Selon Gardner, ces environnements fournissent un cadre d'apprentissage pratique, interdisciplinaire, basé sur des contextes de la vie courante et dont l'ambiance informelle favorise une investigation libre dans des situations et du matériel inédits. Deuxièmement, il prend l'exemple de l'ancien système maître-apprenti, où les maîtres de la profession surveillaient le travail en cours entrepris par leurs protégés.

TABLEAU 9.1

Les IM dans les programmes scolaires traditionnels

Intelligence	Volet	Activités supplémentaires	Activités parascolaires
Linguistique	Lecture Linguistique Littérature Français Sciences sociales Histoire Majorité des langues étrangères Discours	Laboratoire de création littéraire Techniques de communication	Débat Journal de l'école Livre de l'année Clubs linguistiques Club des meilleurs élèves
Logico-mathématique	Sciences Mathématiques Économie	Habiletés cognitives Programmation informatique	Clubs de sciences Club des meilleurs élèves
Spatiale	Arts Atelier Croquis et dessins	Laboratoire de pensée visuelle Architecture Dessin avec le côté droit du cerveau	Clubs de photographie Équipe de l'audio-visuel Club d'échecs
Kinesthésique	Éducation physique	Jeux de théâtre Arts martiaux Nouveaux jeux	Équipes sportives Théâtre Partisans d'équipes sportives
Musicale	Musique	Programmes de Orff-Schulwerk	Groupe de musique Orchestre Chorale
Interpersonnelle	Aucune (à la récréation, avant et après l'école)	Sciences sociales Programmes de sensibilisation au sida, aux drogues et au racisme	Chorale Conseil étudiant
Intrapersonnelle	Aucune	Programmes de développement de l'estime de soi	Clubs de champs d'intérêt particuliers

Selon Gardner, dans une école à IM, les élèves devraient pouvoir travailler le matin sur des matières traditionnelles, mais de façon non traditionnelle. Il recommande en particulier un enseignement centré sur des projets. Les élèves y exploreraient en profondeur un domaine d'investigation particulier (un conflit historique, un principe scientifique, un genre littéraire) et travailleraient un projet (photographie, expérience, journal) qui reflète un processus continu de prise en main des nombreuses dimensions du sujet. Dans la seconde partie de la journée, les élèves pourraient se rendre dans la communauté pour améliorer la compréhension des sujets vus en classe. Les jeunes élèves, selon Gardner, pourraient régulièrement visiter les musées pour enfants, les musées d'arts ou de sciences, ainsi que d'autres endroits où l'apprentissage exploratoire et le jeu sont encouragés et où des interactions avec les animateurs ou d'autres guides experts peuvent avoir lieu. Les élèves plus vieux (après la 3e année) choisiraient un stage basé sur une évaluation de leurs inclinations intellectuelles, leurs champs d'intérêt et les ressources disponibles. Ils pourraient alors passer les après-midi à étudier avec des personnes de la communauté qui sont expertes dans un art, une technique, un métier, une activité physique ou une autre activité de la vie.

Ce qui est fondamental, dans la vision de Gardner, ce sont les activités de trois membres clés du personnel occupant des postes trop souvent inexistants, dans la plupart des écoles actuelles. Selon Gardner, toutes les écoles à IM devraient comprendre un ou une spécialiste en évaluation, un agent ou une agente de liaison entre le programme et les élèves ainsi qu'un agent ou une agente de liaison entre les élèves et la communauté.

Spécialiste en mesure et évaluation des élèves. Ce membre du personnel est responsable d'établir un « profil » ou une description des forces, des limites et des champs d'intérêt dans les sept intelligences de chaque enfant. À l'aide d'une évaluation qui respecte les intelligences, cette personne note chaque expérience scolaire de l'enfant de plusieurs façons (par des observations, des évaluations informelles et de la documentation multimédia) et fournit aux parents, aux enseignants, aux administrateurs et aux élèves eux-mêmes un rapport de leurs inclinations intellectuelles. (*Voir le chapitre 10 pour une perspective sur les tests et évaluations relatives aux IM.*)

Agent ou agente de liaison entre le programme et les élèves. Faisant le pont entre les talents et habiletés des élèves dans les sept intelligences et les ressources disponibles dans l'école, cette personne associe certains élèves à des cours ou options particulières et conseille les enseignants sur la meilleure façon de présenter la matière à chaque élève (ex. : par des films, des expériences pratiques, des livres ou de la musique). En fait, elle a la responsabilité de maximiser le potentiel d'apprentissage de chaque élève en tenant compte du matériel, des méthodes et des ressources humaines disponibles à l'école.

Agent ou agente de liaison entre les élèves et la communauté. Pour assurer le lien entre les aptitudes intellectuelles des élèves et les ressources disponibles dans la communauté, cette personne doit posséder une foule de renseignements sur les types de stages, d'organisations, d'encadrements, de cours individuels, de cours communautaires et d'autres cours offerts dans sa région. Elle doit associer les champs d'intérêt, les compétences et les habiletés d'un ou d'une élève à des activités appropriées à l'extérieur du cadre scolaire (ex. : trouver un violoncelliste pour guider l'élève qui souhaiterait jouer du violoncelle).

Selon Gardner, la création d'une telle école à IM est loin d'être utopique. Cela dépend plutôt d'un ensemble de facteurs, notamment 1) des pratiques d'évaluation qui devraient inciter les élèves à travailler avec le matériel et les symboles de chaque intelligence ; 2) du programme d'études qui devrait refléter des compétences et des expériences de la vie courante ; 3) des programmes de formation des maîtres reposant sur des principes pédagogiques solides ; 4) des enseignants-maîtres dévoués à l'éducation qui travailleraient auprès des élèves ; 5) du degré d'engagement des parents, des gens d'affaires, des musées et des autres institutions d'enseignement.

Un modèle d'école à IM : la *Key School*

Des efforts pour construire une école à IM ont déjà été entrepris il y a plusieurs années. Une école, en particulier, s'est distinguée par le biais des média et des éducateurs : la *Key School* (école clé) à Indianapolis, dans l'Indiana. En 1984, un groupe de huit enseignants d'écoles publiques d'Indianapolis ont demandé l'aide de Howard Gardner pour ouvrir une nouvelle école dans le district. Grâce à cette collaboration (ainsi qu'à l'adoption de nouvelles idées pédagogiques provenant des préférences de Mihaly Csikszentmihalyi, Elliot Eisner, Ernest Boyer, James MacDonald et John Goodlad), la *Key School* a officiellement vu le jour en septembre 1987. (*Voir Fiske, 1988 et Olson, 1988.*)

Cette école combine différents éléments de l'éducation à intelligences multiples pour créer une expérience d'apprentissage complète. En voici quelques exemples :

Enseignement quotidien dans les sept intelligences. Les élèves de la *Key School* assistent à des cours dans les matières traditionnelles (mathématiques, sciences, français), mais reçoivent également un enseignement *quotidien* en éducation physique, en arts, en musique, en espagnol et en informatique. En comparaison avec les autres écoles, les élèves de la *Key School* ont quatre fois plus d'occasions de vivre des expériences en arts, en musique et en éducation physique que la moyenne des élèves des États-Unis. Chaque élève apprend à jouer d'un instrument de musique, en commençant par le violon à la maternelle.

Thèmes à l'échelle de l'école. Chaque année, le personnel de l'école choisit trois thèmes (qui se succèdent environ aux dix semaines) qui aideront à la concentration sur les activités du programme. Voici des thèmes utilisés dans les années passées : les liens, le comportement animal, les changements dans le temps et l'espace, faisons la différence (la cause environnementale, le patrimoine, la Renaissance). Lorsqu'un thème est en cours, l'apprentissage peut se refléter dans toute l'école. Par exemple, le thème de l'environnement fit en sorte qu'une partie de l'école fut transformée en jungle tropicale. De plus, les élèves choisissent et mènent des projets sur chaque thème, qu'ils présentent ensuite à leurs enseignants et à leurs pairs pendant des séances spéciales captées sur vidéo.

« Bandes ». Il s'agit de groupes d'apprentissage spéciaux que les élèves choisissent personnellement selon leurs champs d'intérêt. Les bandes sont formées autour de disciplines particulières (ex. : le jardinage, l'architecture, le théâtre) ou d'activités cognitives (ex. : la pensée mathématique, la résolution de problèmes et « la pensée et le mouvement »). Les élèves travaillent avec un enseignant ou une enseignante ayant des compétences spéciales dans le domaine choisi et ce, dans un contexte de stage mettant l'accent sur les techniques et les connaissances du monde réel. Par exemple, dans la bande architecture, les élèves « ont adopté » neuf maisons du quartier pour en étudier la conception, par des visites et autres activités.

« La salle de jeux éducatifs ». Les élèves se rendent à la « salle de jeux éducatifs » de l'école plusieurs fois par semaine pour participer à des activités conçues pour éveiller leurs intelligences de façons informelles et amusantes. (Cohen, 1991) S'inspirant du concept selon lequel on assimile davantage quand on se trouve dans un état positif, cette pièce est remplie de jeux de tables, de casse-tête, de logiciels informatiques et d'autre matériel pédagogique. Les élèves peuvent choisir n'importe quelle activité (à faire individuellement ou avec d'autres). Pendant ce temps, l'enseignante ou l'enseignant fournit de l'aide au besoin et observe comment chacun interagit avec les divers éléments du matériel, chaque élément étant associé à une intelligence particulière (ex. : le jeu Otello est associé à l'intelligence spatiale ; le jeu Twister est une activité principalement kinesthésique).

Comité des ressources communautaires. Ce groupe, constitué de gens provenant du milieu des affaires, des arts, des organisations culturelles, du gouvernement et de l'éducation supérieure, élabore des programmes hebdomadaires ou des réunions portant sur des thèmes interdisciplinaires qui s'adressent à toute la population étudiante. Les sujets sont alors fréquemment intégrés aux thèmes de l'école. Par exemple, dans le cadre du thème de l'environnement, les intervenants pourraient présenter de l'information sur le traitement des ordures, sur la foresterie ou sur les groupes de protection de l'environnement.

Regroupement hétérogène de différents âges. Les élèves qui fréquentent la *Key School* sont choisis au hasard par un système de loterie. Bien que certains élèves dits « en trouble d'apprentissage » ou « doués » aient été auparavant placés dans des programmes pédagogiques spéciaux, il n'existe pas de tels programmes à la *Key School* actuellement. Toutes les classes sont composées d'élèves de différents niveaux de compétence, facteur qui est perçu, par sa diversité, comme un enrichissement du programme. (*Voir le chapitre 11 pour une discussion sur la théorie des IM et l'éducation spéciale.*)

Bien que la *Key School* ne représente qu'un élément parmi les nombreux efforts de l'école (et de la commission scolaire) pour intégrer la théorie des intelligences multiples, elle constitue la preuve qu'une restructuration du système fondée sur la théorie des IM peut devenir réalité — et qu'une restructuration réussie peut faire partie d'un effort populaire. Il faut se rappeler que la *Key School* n'a pas été commandée par une administration quelconque ; il s'agit du produit de la volonté et de l'engagement de huit enseignants d'écoles publiques, qui rêvaient d'un certain enseignement pour leurs élèves.

Les écoles à IM de l'avenir

La *Key School* ne devrait, en aucun cas, être considérée comme l'unique ou le meilleur modèle d'école à intelligences multiples. Il peut y avoir autant de types d'écoles à IM qu'il y a de groupes d'éducateurs, de parents, d'administrateurs et de dirigeants qui participent à leur mise en place. Peu importe leurs structures, les écoles à IM de l'avenir continueront sans doute à augmenter les possibilités d'éclosion du potentiel des enfants dans toutes les intelligences. Peut-être que les écoles à IM de l'avenir ressembleront moins à des écoles qu'au vrai monde et que les édifices des écoles traditionnelles serviront de lieu de transition d'où les élèves partiront pour vivre des expériences significatives dans la communauté. Les programmes qui en seront issus se spécialiseront peut-être dans le développement d'une ou de plusieurs intelligences — même si nous devons faire preuve de vigilance et nous protéger contre un « nouveau monde » d'intelligences multiples qui pourrait chercher à déceler les intelligences fortes, dès la jeune enfance, pour les exploiter et les diriger prématurément vers une voie étroite au service d'une société grandement segmentée.

Finalement, ce qui favorisera le développement de la théorie des IM, c'est son intégration interdisciplinaire qui permettra de répondre aux besoins toujours changeants d'une société de plus en plus complexe. À mesure que la société change — et peut-être à mesure que nous découvrirons de nouvelles intelligences qui nous aideront à faire face à ces changements — les écoles à IM de l'avenir pourront refléter des éléments qui sont, pour le moment, au-delà de nos rêves les plus audacieux.

Pour une étude plus approfondie

1. Évaluer votre école à partir de la théorie des intelligences multiples. Au cours d'une journée scolaire, est-ce que chaque élève a la chance de développer chacune des sept intelligences ? Justifier la réponse à cette question en nommant des programmes, des cours, des activités et des expériences. Comment pourrait-on modifier le programme de l'école pour y intégrer un plus large spectre d'intelligences ?

2. Déterminer votre propre vision de l'école à IM « idéale », si vous disposiez d'une quantité illimitée d'argent et de ressources. À quoi ressembleraient les lieux physiques ? Dessiner un plan de l'école. Quels genres de cours y seraient offerts ? Quelle serait la fonction des enseignants ? Quels types d'expériences pourraient vivre les élèves ? Écrire le scénario d'une journée type d'un élève moyen, dans une telle école.

3. Communiquer avec les écoles qui utilisent actuellement la théorie des intelligences multiples comme structure générale ou comme philosophie, puis comparer leurs différentes façons d'appliquer le modèle. (Pour connaître les écoles qui appliquent cette théorie aux États-Unis, écrire à Harvard Project Zero Development Group, Longfellow Hall, Appian Way, Cambridge, Ma 02138.) Quels sont les aspects de chacun

de leurs programmes qui peuvent être appliqués à votre école ou à votre classe ? Lesquels ne peuvent pas être appliqués ?

4. Discuter de certains problèmes que peut entraîner, dans les écoles, l'intégration de la théorie des IM à titre de mouvement de réforme plus large. Comment la théorie des IM peut-elle s'insérer pour le mieux dans le processus de restructuration de l'école ? Quels éléments pourraient augmenter les chances de succès de ce modèle, au chapitre du personnel de l'école ?

10 Les intelligences multiples et l'évaluation

Je crois que nous devrions éviter complètement les tests et leurs cor-
rélations. Nous devrions plutôt chercher des façons plus naturelles
de savoir comment les gens du monde entier développent les compétences nécessaires à leurs modes de vie. [Traduction libre]

— Howard Gardner (1987)

LES MODIFICATIONS AUX APPROCHES pédagogiques décrites dans les chapitres précédents exigent un ajustement dans la méthode d'évaluation de
l'apprentissage. Ce serait le comble de l'hypocrisie de faire participer les
élèves à différentes expériences relatives aux sept intelligences pour finalement leur demander de nous démontrer leurs acquis par des tests normalisés, qui ne mettent en évidence que l'aspect verbal ou logique. Les
enseignants enverraient alors un double message aux élèves et à la communauté : « Apprendre de sept façons différentes est amusant, mais quand
on en arrive à l'essentiel — à savoir l'évaluation de l'apprentissage des
élèves — nous devons retrouver notre sérieux et recouvrir aux tests que
nous avons toujours utilisés. » Ainsi, la théorie des IM propose une restructuration fondamentale de l'évaluation de l'apprentissage des élèves.
Elle suggère un système moins associé aux tests formels normalisés ou
aux tests normatifs qu'aux mesures authentiques basées sur certains critères, sur certaines références ou qui sont ipsatives (c'est-à-dire qui comparent la performance actuelle de l'élève à ses performances antérieures).

Dans la théorie des IM, la philosophie de l'évaluation se rapproche
étroitement du point de vue d'un nombre grandissant d'éducateurs influents.
Ces dernières années, ceux-ci sont d'avis que les mesures authentiques

sondent beaucoup plus en profondeur la compréhension de la matière, si on les compare aux tests à choix multiples ou à ceux où on remplit des cases. (*Voir Herman, Aschbacher et Winters, 1992 ; Wolf, LeMahieu et Eresh, 1992 ; Gardner, 1993a*). La mesure authentique permet aux élèves de démontrer leurs connaissances en contexte, par la mise en application de leurs connaissances dans une mise en situation de la vie courante. Par contre, les mesures normalisées évaluent presque toujours les élèves d'une manière artificielle, détachée du monde réel. Le tableau 10.1 énumère plusieurs autres raisons pour lesquelles la mesure authentique s'avère supérieure aux tests normalisés, comme outil pour promouvoir une éducation de qualité.

Différents exercices d'évaluation

L'évaluation authentique utilise un grand nombre d'outils, de mesures et de méthodes, y compris l'*observation* qui en est l'élément le plus important. La meilleure façon d'évaluer les intelligences multiples des élèves, selon Howard Gardner (1983, 1993a), est d'observer les enfants à l'œuvre avec les systèmes symboliques de chaque intelligence. Par exemple, on peut noter comment les élèves participent à un jeu (de table) logique, comment ils agissent avec un appareil, comment ils dansent ou encore comment ils réagissent lorsqu'une dispute éclate dans un groupe de travail. L'observation des élèves en train de résoudre des problèmes ou de concevoir des produits dans un contexte naturel est le moyen le plus éloquent de connaître leurs compétences.

Le deuxième élément de choix, pour l'évaluation authentique, est la documentation portant sur la performance des élèves. Celle-ci peut se faire de diverses façons telles que :

Notation anecdotique. Tenez un journal en prévoyant une section pour chaque enfant. Notez-y les réussites scolaires et autres, les interactions avec les pairs et le matériel didactique, ainsi que tout autre renseignement pertinent.

Échantillons. Créez un dossier pour chaque enfant afin de conserver des échantillons de son travail en français, en mathématiques, etc. Il peut s'agir de photocopies si les enfants veulent garder les originaux.

Cassettes audio. Invitez les élèves à lire un extrait (l'élève lit au micro, puis raconte l'histoire à sa manière), à raconter une blague, une histoire, une devinette, un souvenir, des opinions, etc., puis enregistrez-les sur cassette. Vous pouvez également enregistrer les élèves qui démontrent leur

TABLEAU 10.1

Comparaison entre tests normalisés et mesure authentique

Les tests normalisés	La mesure authentique
• réduisent la vie riche et complexe des enfants à un ensemble de résultats, de percentiles ou de notes ;	• donne à l'enseignante ou à l'enseignant un « sentiment de perception » de l'apprentissage de chaque enfant ;
• créent un stress qui influence négativement la performance des enfants ;	• fournit aux élèves des expériences intéressantes, actives, vivantes et excitantes ;
• créent une norme mythique qui implique l'échec d'un certain pourcentage d'enfants ;	• crée un environnement dans lequel tous les enfants ont la chance de réussir ;
• obligent les enseignants à restreindre leur programme au contenu testé à l'examen ;	• permet aux enseignants de planifier des évaluations et des activités signifiantes dans le contexte du programme ;
• accentuent l'importance des examens ponctuels mesurant les connaissances d'un seul individu, à un moment précis ;	• évalue sur une base *continue*, de façon à donner une image plus juste du niveau de l'élève ;
• tendent à mettre l'accent sur l'interprétation des erreurs, des fautes, des mauvais résultats, etc., et d'autres choses que les enfants *réussissent mal* ;	• met l'accent sur les forces de l'élève en indiquant ce qu'il ou elle *peut* faire et *essaie* de faire ;
• donnent trop d'importance aux ensembles isolés de données (ex. : les notes aux tests) pour les décisions pédagogiques ;	• fournit *de nombreuses* sources d'évaluation qui renvoient une image plus précise de l'apprentissage de l'élève ;
• traitent tous les élèves d'une manière uniforme ;	• traite chaque élève comme un être humain unique ;
• sont discriminatoires envers certains élèves au regard du bagage culturel et du style d'apprentissage de ces derniers ;	• *respecte la culture* de l'élève ; donne à tous des chances égales de réussite ;
• jugent les enfants sans suggérer des éléments d'amélioration ;	• donne des renseignements *utiles* sur le processus d'apprentissage ;
• considèrent l'évaluation et l'apprentissage comme des entités séparées ;	• considère l'évaluation et l'apprentissage comme les deux faces d'une même médaille ;
• exigent des réponses finales, les élèves ayant rarement la chance de réviser ou de refaire un test, ou même d'y réfléchir ;	• engage l'enfant dans un processus continu de réflexion, d'apprentissage interactif et de révision ;
• donnent des résultats qui ne sont entièrement compréhensibles que pour un spécialiste compétent ;	• décrit les performances de l'enfant en termes courants, facilement compréhensibles par les parents, les enfants et les autres personnes ;
• produisent du matériel d'évaluation que, souvent, les élèves ne revoient pas ;	• génère des produits ayant une *valeur* aux yeux des élèves et des autres ;
• mettent l'accent sur la « bonne réponse ».	• se préoccupe du *procédé* autant que du produit final ;
• placent les élèves dans un contexte pédagogique artificiel qui perturbe le processus naturel de l'apprentissage ;	• permet d'observer *discrètement* les élèves dans leur environnement pédagogique habituel ;

TABLEAU 10.1 (suite)

Comparaison entre tests normalisés et mesure authentique

Les tests normalisés	La mesure authentique
• se concentrent habituellement sur les compétences d'apprentissage de niveau inférieur ;	• touche des habiletés de la pensée de niveau supérieur et des domaines subjectifs importants (ex. : la perspicacité et l'intégrité) ;
• encouragent l'apprentissage extrinsèque (ex. : apprendre à passer un test ou à obtenir une bonne note) ;	• stimule l'apprentissage ;
• confinent le processus de réflexion de nombreux enfants à l'intérieur de limites de temps restreintes ;	• donne le temps aux élèves de travailler à un problème, à un projet ou à une méthode ;
• se limitent généralement à la lecture, à l'écoute et à l'écriture sur une feuille de papier ;	• met en jeu la création, le questionnement, la démonstration, la résolution de problèmes, la réflexion, le dessin, la discussion et la participation à plusieurs autres activités pratiques d'apprentissage ;
• interdisent habituellement aux élèves d'interagir ;	• favorise l'apprentissage coopératif ;
• favorisent des comparaisons inutiles entre les enfants.	• compare les performances des élèves à leurs propres performances antérieures.

talent musical. Il peut s'agir d'un élève qui interprète une chanson ou d'une élève qui joue d'un instrument de musique. (ex. : une chanson, un « rap » ou un instrument de musique).

Cassettes vidéo. Captez sur vidéo les habiletés d'un enfant dans des domaines où il est difficile d'obtenir des données autrement (ex. : l'interprétation d'un rôle dans une pièce de théâtre, saisie du ballon dans une partie de football, réparation d'un appareil) et lorsque les élèves présentent leurs travaux.

Photographie. Gardez un appareil photo à portée de la main pour prendre en photo les produits que vous ne pouvez conserver (ex. : constructions tridimensionnelles, inventions, des projets scientifiques et artistiques).

Journal de l'élève. Les élèves peuvent tenir un journal personnel dans lequel ils notent leurs expériences à l'école, sous forme de textes, de diagrammes, de griffonnages et de dessins.

Tableaux tenus par les élèves. Les élèves peuvent noter leur progression dans un tableau ou un graphique (ex. : nombre de livres lus, progression vers un objectif d'apprentissage).

Sociogrammes. Faites une représentation graphique des relations entre les élèves en classe, en utilisant des symboles pour indiquer les associations, les interactions négatives et les contacts neutres.

Tests informels. Créez des tests non normalisées pour obtenir de l'information sur l'habileté d'un ou d'une enfant dans un domaine particulier. Cherchez à construire une image qualitative du savoir de l'élève plutôt qu'à concevoir une méthode qui expose les lacunes de l'élève dans une matière.

Utilisation informelle des tests normalisés. Faites passer des tests normalisés aux élèves, mais n'appliquez pas la méthode à la lettre. Abolissez la limite de temps, lisez les consignes aux élèves, invitez-les à expliquer leurs réponses, donnez-leur la chance d'exprimer leurs réponses en images, en constructions tridimensionnelles, en musique ou d'une autre façon. Déterminez ce que l'élève sait vraiment ; décelez les erreurs pour connaître le cheminement de pensée de l'élève. Voyez le test comme un stimulus pour encourager les élèves à engager un dialogue sur la matière abordée.

Interviews des élèves. Rencontrez régulièrement chaque élève pour discuter de ses progrès scolaires, de ses champs d'intérêt, de ses objectifs ainsi que d'autres sujets pertinents. Conservez un rapport de ces rencontres dans le dossier de l'élève.

Évaluation critériée. Utilisez des mesures qui permettent d'évaluer les élèves non pas selon une norme, mais selon un ensemble de compétences. Autrement dit, utilisez critères d'évaluation où les objectifs d'apprentissage sont clairement formulés (ex. : additionner des nombres à deux chiffres par regroupement, écrire une histoire de trois pages sur un sujet).

Liste à cocher. Créez un système informel d'évaluation à interprétation critérielle, par exemple en préparant une liste des techniques ou des domaines importants abordés en classe ; il suffirait de les cocher, une fois que les élèves les ont réussis (en spécifiant le niveau de performance pour chaque objectif).

Plans de la classe. Dessinez un plan de la classe (vue d'ensemble des pupitres, des tables et des aires d'activités) et faites-en des photocopies. Indiquez-y quotidiennement les déplacements, activités et interactions qui surviennent dans les différentes parties de la salle, en y inscrivant les noms des élèves qui y participent.

Calendrier. Demandez aux élèves de noter leurs activités du jour sur un calendrier puis ramassez ceux-ci à la fin de chaque mois.

Projets d'évaluation des IM

À la grandeur des États-Unis, des projets ont été mis sur pied pour créer des modèles d'évaluation conformes à la philosophie de la théorie des IM. Plusieurs d'entre eux, sous la direction de Howard Gardner et de ses collègues du *Project Zero* de l'université Harvard, s'adressent au préscolaire, au primaire et au secondaire. En voici quatre. (*Voir Gardner 1993a.*)

Project Spectrum **(projet Spectrum).** Il s'agit d'un programme préscolaire expérimenté à *Eliot Pearson Children's School* à l'université Tufts de Medford, au Massachusetts. Dans ce programme, quinze outils différents constituent des activités riches et stimulantes, faisant partie intégrante du programme *Spectrum.* On y trouve des expériences de mouvements créatifs (kinesthésique/musicale) ; un jeu de société sur les dinosaures dans lequel on roule des dés, compte les cases et développe des stratégies (logico-mathématique) ; une activité qui demande aux enfants de fabriquer un monde tridimensionnel miniature et d'y raconter une histoire (spatiale/linguistique). Le programme suggère aussi d'utiliser le portfolio d'art et les observations des enseignants, lorsque les enfants participent aux activités des différents centres (ex. : le centre du récit, celui de la construction ou le coin des naturalistes). À travers ces activités, en plus de chercher les « prédispositions » des enfants dans les sept intelligences, les enseignants évaluent les caractéristiques du « mode de fonctionnement » de chaque élève. Ils observent, par exemple, si l'enfant est confiant ou hésitant, enjoué ou sérieux, réfléchi ou impulsif dans sa manière d'aborder différents éléments d'apprentissage.

Key School. Il s'agit d'un programme s'adressant aux écoles primaires publiques d'Indianapolis, en Indiana. Dans le cadre de ce programme, les enseignants utilisent largement les enregistrements vidéo pour évaluer les apprentissages. Au début de l'année, ils captent sur vidéo des interviews où les élèves dévoilent leurs attentes, leurs craintes et leurs objectifs pour l'année qui vient. Ils les filment ensuite à trois autres moments de l'année, lors de présentations de travaux. Finalement, ils le font une dernière fois à la fin de l'année pour faire un retour sur l'année qui s'achève et planifier l'année qui s'annonce. Ce document vidéo accompagne l'élève au fil des ans, fournissant une source d'information précieuse pour les parents, les enseignants, les administrateurs et les élèves eux-mêmes. (*Voir le chapitre 9 pour plus d'information sur la Key* School.)

PIFS (*Practical Intelligence for School*) Units (Activités pour développer une intelligence pratique à l'école). Le PIFS est un programme intégré au premier cycle du secondaire. Son but ? Aider les élèves à développer des techniques et une compréhension métacognitives dans le cadre d'activités scolaires. Parmi ces activités, on trouve « *Choosing a Project* (Choisir un projet) », « *Finding the Right Mathematical Tools* (Trouver les outils appropriés en mathématiques) » et « *Why Go to School* (Pourquoi aller à l'école ?)». Les participants sont évalués sur leurs performances ayant favorisé un environnement enrichissant. Dans le cas de « *Choosing a Project* », les élèves sont invités à faire la critique de trois plans et à donner leurs suggestions, afin d'améliorer le plan jugé le moins prometteur. Pour ce qui est de « *Mathematical Tools* », on leur propose de résoudre un problème avec des ressources limitées puis de suggérer d'autres solutions.

Arts Propel (avancement des arts). Ce programme d'arts, qui s'adresse aux élèves du secondaire, est expérimenté dans les écoles publiques de Pittsburgh, en Pennsylvanie. Il se concentre sur deux éléments : les projets artistiques se composent de séries d'exercices, d'activités et de productions en art visuel, en musique et en création littéraire conçus pour développer l'esprit créatif des élèves. Les portfolios progressifs sont des collections continues de productions artistiques des élèves, comme les dessins, les peintures, les compositions musicales et les textes, de l'ébauche au produit final, en passant par le brouillon. Les méthodes d'évaluation comprennent des autoévaluations (ce qui demande une réflexion de la part des élèves) et des évaluations par l'enseignante ou l'enseignant qui observe les compétences techniques et créatives des élèves, ainsi que leur habileté à tirer profit de la réflexion personnelle et de la critique des autres.

Sept façons d'évaluer

La plus grande contribution de la théorie des IM à l'évaluation est la multitude de méthodes d'évaluation qu'elle propose. Le plus grand défaut des tests normalisés c'est qu'ils demandent aux élèves de démontrer, de façon restreinte et limitée, ce qu'ils ont appris durant l'année. De plus, dans ce type d'évaluation, les élèves restent habituellement assis à leur pupitre, effectuent le test dans un temps déterminé et ne parlent à personne. Les tests eux-mêmes contiennent habituellement des questions purement linguistiques ou des éléments de réponses pour lesquels les élèves doivent remplir des cases sur un formulaire.

Selon la théorie des IM, les élèves devraient pouvoir démontrer de différentes façons leurs compétences dans une technique, un sujet, un aspect du contenu ou un domaine particulier. Puisque tout objectif d'apprentissage, selon cette théorie, peut être atteint par au moins sept méthodes différentes, tout sujet peut aussi être *évalué* de sept manières différentes.

Par exemple, si l'objectif était de démontrer une compréhension du personnage de Huck Finn dans le roman de Mark Twain, on pourrait proposer la question suivante dans un test normalisé :

Lequel des termes suivants décrit le mieux Huck Finn dans le roman ?
a) sensible
b) jaloux
c) érudit
d) impatient

Une telle question exige de la part des élèves une connaissance de la signification de chacun des quatre termes et une interprétation de ces termes qui soit conforme à celle du concepteur du test. Par exemple, bien que « impatient » soit la réponse cherchée, « sensible » pourrait être près de la vérité, car cette qualité correspond à l'ouverture d'esprit dont fait preuve Huck devant nombre de problèmes sociaux. Or, un test normalisé ne permet pas d'explorer ni de discuter cette interprétation. Donc, même si les élèves en connaissent beaucoup sur Huck Finn, ils pourront difficilement démontrer leurs connaissances dans cet exercice s'ils ne sont pas particulièrement sensibles aux mots.

À l'opposé, la théorie des IM suggère sept méthodes par lesquelles les élèves peuvent démontrer leur savoir.

Démonstration linguistique : « Décrivez Huck Finn dans vos propres mots, soit oralement ou encore par écrit, en utilisant un format de votre choix.»

Démonstration logico-mathématique : « Si Huck Finn était un principe, une loi ou un théorème scientifique, lequel serait-il ? »

Démonstration spatiale : « Faites un croquis illustrant quelque chose que, selon vous, Huck Finn aimerait faire et qui *n'est pas* dans le roman. »

Démonstration kinesthésique : « Mimez comment Huck Finn se comporterait dans une classe. »

Démonstration musicale : « Si Huck Finn était une phrase musicale, quel son ferait-il ou quelle chanson serait-il ? »

Démonstration interpersonnelle : « Trouvez quelqu'un à qui Huck Finn vous fait penser (camarade, parent, élève, comédien, etc.). »

Démonstration intrapersonnelle. « Décrivez en quelques mots vos sentiments envers Huck Finn. »

En associant Huck Finn à des images, à des actions physiques, à des phrases musicales, à des formules scientifiques, à des rapports sociaux et à des sentiments personnels, les élèves ont davantage la chance d'utiliser leurs intelligences multiples pour démontrer leur compréhension. Cela ramène à la notion fondamentale suivante : de nombreux élèves qui maîtrisent la matière enseignée peuvent ne pas avoir les moyens d'exprimer ce qu'ils ont acquis si la seule méthode de démonstration disponible est du domaine linguistique. Le tableau 10.2 plus loin propose d'autres façons par lesquelles les élèves peuvent démontrer leur compétence dans certaines matières.

Dans un contexte des « sept manières » décrites précédemment, les élèves peuvent être évalués de différentes façons :

- Les élèves peuvent être exposés aux sept tâches pour que soient révélés le ou les domaines dans lesquels ils sont le plus compétents.
- Les élèves peuvent avoir à effectuer une tâche qui, selon l'enseignante ou l'enseignant, correspond à leur intelligence la plus développée.
- Les élèves peuvent choisir eux-mêmes la méthode par laquelle ils aimeraient être évalués dans un domaine particulier. Le tableau 10.3 fournit un exemple de « contract » qui peut être proposé aux élèves.

Contexte d'évaluation

La théorie IM élargit considérablement le cadre de la mesure de la performance pour y inclure une variété de contextes afin de permettre à l'élève d'exprimer sa compétence dans un domaine particulier. Il faut donc comprendre que, pour évaluer adéquatement la compétence d'un élève, la façon dont l'information lui est présentée est toute aussi importante que la méthode de réponse suggérée. L'élève qui apprend principalement par les images et à qui l'on ne propose que des textes écrits, quand vient le temps d'apprendre une nouvelle matière, ne sera probablement pas capable de démontrer une maîtrise du sujet. De même, l'élève plutôt physique (kinesthésique) qui doit démontrer son savoir par un test sur papier pourra difficilement exprimer ce qu'il ou elle sait. Le tableau 10.4 donne des exemples de façons de présenter l'information ainsi que des possibilités de réponses des élèves pouvant servir de contexte, pour l'évaluation.

En examinant le tableau 10.4, on constate que les tests types, dans les écoles américaines, ne puisent que dans un seul des quarante-neuf contextes

TABLEAU 10.2

Sept façons, pour l'élève, de démontrer
ses connaissances sur un sujet particulier

	Sujet		
	Facteurs relatifs à la défaite des États du Sud dans la guerre civile américaine	**Connaissance d'un personnage de roman**	**Principe de la liaison moléculaire**
Linguistique	Faites un rapport écrit ou oral.	Donnez un exposé oral portant sur le roman et présentez vos commentaires.	Expliquez ce concept oralement ou par écrit.
Logico-mathématique	Présentez des statistiques sur le nombre de morts, de blessés, sur le ravitaillement, etc.	Présentez un tableau séquentiel de cause à effet de l'évolution du personnage.	Écrivez des formules chimiques et décrivez-en l'application.
Spatiale	Dessinez des cartes qui situent les batailles importantes.	Tracez un schéma ou une série de croquis pour illustrer l'évolution du personnage.	Faites des diagrammes qui illustrent différents modes de liaison.
Kinesthésique	Créez des cartes en trois dimensions des batailles importantes et reconstituez celles-ci avec des soldats miniatures.	Interprétez le rôle du personnage, du début à la fin du roman, en démontrant son évolution.	Fabriquez plusieurs structures moléculaires avec des boules de couleur.
Musicale	Rassemblez des chansons de la guerre civile américaine qui en relatent les principales causes.	Présentez l'évolution du personnage comme une partition musicale.	Faites la chorégraphie d'une danse illustrant différents modes de liaison. (Voir plus loin.)
Interpersonnelle	Simulez les batailles importantes.	Discutez des motivations et des sentiments relatifs à l'évolution du personnage.	Expliquez les liaisons moléculaires en utilisant vos camarades comme atomes.
Intrapersonnelle	Développez une méthode personnelle de démonstration de vos connaissances.	Établissez un lien entre l'évolution du personnage et l'histoire de votre vie.	Faites un album dans lequel vous illustrez vos connaissances.

TABLEAU 10.3

Célébration des acquis de l'élève

Pour montrer que je sais _____, **j'aimerais :**

_____ écrire un texte.

_____ faire une épreuve photographique.

_____ faire un album.

_____ construire une maquette.

_____ mettre en scène un sketch.

_____ créer un projet de groupe.

_____ faire un tableau de statistiques.

_____ concevoir une présentation interactive informatisée.

_____ tenir un journal.

_____ enregistrer des interviews.

_____ dessiner une affiche murale.

_____ concevoir une discographie basée sur le sujet.

_____ faire un exposé.

_____ faire une simulation.

_____ faire une série de croquis ou de diagrammes.

_____ concevoir une expérience.

_____ participer à un débat ou à une discussion.

_____ faire une représentation graphique de mon processus mental.

_____ produire une vidéo.

_____ composer une pièce musicale.

_____ écrire un « rap » ou une chanson sur le sujet.

_____ enseigner à un ou à une autre élève.

_____ faire la chorégraphie d'une danse.

_____ Autre : _____

Brève description de ce que je compte faire :

_____

Signature de l'élève   Date

_____

Signature de l'enseignante ou de l'enseignant   Date mentionnés (celui du coin supérieur gauche : « Lisez un livre, puis écrivez vos réactions. »). Les contextes énumérés dans le tableau 10.4 ne représentent pourtant qu'une partie des contextes pouvant servir à des fins d'évaluation. Par exemple, on pourrait remplacer « Lisez un livre » par « Écoutez un livre-cassette » ; « Écrivez vos réactions » par « Racontez une histoire ». Il existe également de nombreuses possibilités dans chacune des combinaisons énumérées au tableau 10.4. Par exemple, l'expérience de l'élève qui « va faire une visite, puis qui construit une maquette » variera selon *l'endroit où* la visite a eu lieu, le *type* de présentation offerte durant la visite et la *façon* dont l'activité de construction de maquette était structurée. Ces facteurs créent eux-mêmes une multitude de contextes, dont certains qui peuvent favoriser la démonstration des compétences (ex. : une visite à un endroit connu de l'élève ou qui l'intéresse) et d'autres qui peuvent lui nuire (ex. : l'emploi de matériel de maquette que l'enfant n'aime pas ou qui ne lui est pas familier, ou bien le travail d'équipe auprès d'élèves avec lesquels il ou elle ne s'entend pas bien).

Bien sûr, vous n'avez pas à créer quarante-neuf contextes d'évaluation différents pour tout ce que vous avez à évaluer. La raison d'être du tableau 10.4 est de vous faire prendre conscience qu'il faut offrir aux élèves des expériences d'évaluation qui leur donnent accès à différentes méthodes de présentation (apports) et à différents moyens d'expression (réponses). Les types d'expériences proposées par la théorie des IM (en particulier les expériences sous forme de projets thématiques) offrent souvent aux élèves l'occasion d'expérimenter plusieurs de ces contextes en même temps (comme l'illustrent les programmes du *Project Zero* dont nous avons déjà parlé). Par exemple, si les élèves produisent un document vidéo pour montrer leurs connaissances relatives aux effets de la pollution sur la communauté locale, ils peuvent avoir à lire des livres, à travailler sur le terrain, à écouter des chansons sur l'environnement et à participer à des activités coopératives (apports) dans le but de faire un document constitué d'un montage d'images, de musique, de dialogues et de textes (réponses). Ce projet complexe fournit à l'enseignante ou à l'enseignant un document (la bande vidéo) dont le contexte est riche en éléments qui permettent d'évaluer les compétences contextuelles des élèves dans plusieurs intelligences.

Portfolios à IM

À mesure que les élèves participent à des activités et à des projets relatifs aux intelligences multiples, les occasions de documenter leur processus d'apprentissage dans des portfolios à intelligences multiples augmentent

TABLEAU 10.4

49 contextes d'évaluation relatifs aux IM

	Tâche linguistique	Tâche logico-mathématique	Tâche spatiale	Tâche musicale	Tâche kinesthésique	Tâche interpersonnelle	Tâche intrapersonnelle
Évaluation linguistique	Lisez un livre, *puis écrivez vos réactions.*	Examinez un tableau de statistiques, *puis écrivez vos réactions.*	Regardez un film, *puis écrivez vos réactions.*	Écoutez une pièce musicale, *puis écrivez vos réactions.*	Faites une visite, *puis écrivez vos réactions.*	Faites un jeu en équipe, *puis écrivez vos réactions.*	Pensez à une expérience personnelle, *puis écrivez vos réactions.*
Évaluation logico-mathématique	Lisez un livre, *puis émettez une hypothèse.*	Examinez un tableau de statistiques, *puis émettez une hypothèse.*	Regardez un film, *puis émettez une hypothèse.*	Écoutez une pièce musicale, *puis émettez une hypothèse.*	Faites une visite, *puis émettez une hypothèse.*	Faites un jeu en équipe, *puis émettez une hypothèse.*	Pensez à une expérience personnelle, *puis émettez une hypothèse.*
Évaluation spatiale	Lisez un livre, *puis faites un dessin.*	Examinez un tableau de statistiques, *puis faites un dessin.*	Regardez un film, *puis faites un dessin.*	Écoutez une pièce musicale, *puis faites un dessin.*	Faites une visite, *puis tracez un dessin.*	Faites un jeu en équipe, *puis tracez un dessin.*	Pensez à une expérience personnelle, *puis faites un dessin.*
Évaluation kinesthésique	Lisez un livre, *puis construisez une maquette.*	Examinez un tableau de statistiques, *puis construisez une maquette.*	Regardez un film, *puis construisez une maquette.*	Écoutez une pièce musicale, *puis construisez une maquette.*	Faites une visite, *puis construisez une maquette.*	Faites un jeu en équipe, *puis construisez une maquette.*	Pensez à une expérience personnelle, *puis construisez une maquette.*
Évaluation musicale	Lisez un livre, *puis composez une chanson.*	Examinez un tableau de statistiques, *puis composez une chanson.*	Regardez un film, *puis composez une chanson.*	Écoutez une pièce musicale, *puis composez une chanson.*	Faites une visite, *puis composez une chanson.*	Faites un jeu en équipe, *puis composez une chanson.*	Pensez à une expérience personnelle, *puis composez une chanson.*
Évaluation interpersonnelle	Lisez un livre, *puis échangez vos opinions avec un ou une camarade.*	Examinez un tableau de statistiques, *puis échangez vos opinions avec un ou une camarade.*	Regardez un film, *puis échangez vos opinions avec un ou une camarade.*	Écoutez une pièce musicale, *puis échangez vos opinions avec un ou une camarade.*	Faites une visite, *puis échangez vos opinions avec un ou une camarade.*	Faites un jeu en équipe, *puis échangez vos opinions avec un ou une camarade.*	Pensez à une expérience personnelle, *puis échangez vos opinions avec un ou une camarade.*
Évaluation intrapersonnelle	Lisez un livre, *puis formulez vos propres commentaires.*	Examinez un tableau de statistiques, *puis formulez vos propres commentaires.*	Regardez un film, *puis formulez vos propres commentaires.*	Écoutez une pièce musicale, *puis formulez vos propres commentaires.*	Faites une visite, *puis formulez vos propres commentaires.*	Faites un jeu en équipe, *puis formulez vos propres commentaires.*	Pensez à une expérience personnelle, *puis formulez vos propres commentaires.*

considérablement. Durant les dernières décennies, les portfolios qu'utilisaient les enseignants ouverts aux réformes étaient souvent limités à des travaux mettant en jeu les intelligences linguistique et logico-mathématique (portfolios de textes et de mathématiques). Cependant, selon la théorie des IM, les portfolios devraient aussi comprendre, lorsque c'est pertinent, du matériel relatif aux sept intelligences. Le tableau 10.5 donne la liste de certains types de documents pouvant faire partie d'un portfolio à IM.

Naturellement, le type de matériel contenu dans un portfolio à IM dépendra de son utilisation et des objectifs d'apprentissage visés. On peut compter au moins cinq utilités de base du portfolio, appelées les « cinq C du développement d'un portfolio » :

1. *Célébration :* Pour reconnaître et valider les produits et les réussites des élèves durant l'année.
2. *Connaissance :* Pour aider les élèves à réfléchir sur leur travail.
3. *Communication :* Pour permettre aux parents, aux administrateurs et aux enseignants de suivre l'apprentissage des élèves.
4. *Coopération :* Pour donner aux élèves l'occasion de produire et d'évaluer en groupe leur propre travail.
5. *Compétence :* Pour établir des critères qui permettent de comparer le travail de l'élève avec celui des autres, avec une norme ou avec un point de référence.

TABLEAU 10.5

Quoi mettre dans un portfolio à IM

Pour documenter l'intelligence linguistique :
- notes de pré-écriture ;
- brouillons de travaux écrits ;
- échantillons des meilleurs textes ;
- descriptions écrites des recherches ;
- cassettes audio des débats, des discussions, des procédés de résolution de problèmes ;
- rapports finaux ;
- interprétations dramatiques ;
- listes de vérification des habiletés en lecture ;
- cassettes audio de lectures ou de récits oraux ;
- exemples d'énigmes résolues.

Pour documenter l'intelligence logico-mathématique :
- listes de vérification des habiletés en mathématiques ;
- échantillons des meilleurs exercices de mathématiques ;
- brouillons sur les méthodes de calcul ou de résolution de problèmes ;
- rapports finaux des expériences de laboratoire en sciences ;
- photos des projets pour la foire des sciences ;
- documentation sur les projets pour la foire des sciences (photos, récompenses) ;
- matériel d'évaluation selon Piaget ;

- exemples de problèmes logiques ou de colles résolus ;
- exemples de programmes informatiques créés ou appris.

Pour documenter l'intelligence spatiale :
- photos des projets ;
- maquettes tridimensionnelles ;
- diagrammes, schémas, croquis, représentations mentales ;
- exemples ou photos de collages, de dessins, de peintures ;
- cassettes vidéo de projets ;
- exemples de casse-tête spatio-visuels réussis.

Pour documenter l'intelligence kinesthésique :
- cassettes vidéo des projets et des présentations ;
- exemples de projets réellement accomplis ;
- bandes vidéo ou autres enregistrements de l'expression corporelle du processus de réflexion ;
- photos des travaux manuels.

Pour documenter l'intelligence musicale :
- cassettes audio des interprétations, des compositions, des collages musicaux ;
- exemples de partitions écrites (interprétées ou composées) ;
- paroles des « raps », des chansons ou des vers écrits par l'élève ;
- discographie compilée par l'élève.

Pour documenter l'intelligence interpersonnelle :
- correspondance écrite avec les autres (ex. : lettre pour obtenir des renseignements auprès de quelqu'un) ;
- rapports de groupes ;
- point de vue écrit des pairs, des enseignants et des experts ;
- rapports de rencontres entre l'élève et l'enseignante ou l'enseignant (résumé/transcrit) ;
- rapports de rencontres parents-professeur-élève ;
- rapports de groupe des pairs ;
- photos, bandes vidéo ou textes sur les projets d'apprentissage coopératif ;
- documentation sur les projets de service communautaire (certificats, photos).

Pour documenter l'intelligence intrapersonnelle :
- tenue d'un journal ;
- essais, listes à cocher, activités et dessins relatifs à l'autoévaluation ;
- exemples d'autres exercices d'autoévaluation ;
- questionnaires ;
- transcriptions d'interviews sur l'établissement d'objectifs et de plans pour y accéder ;
- inventaires des champs d'intérêt ;
- exemples de passe-temps ou d'activités en dehors de l'école ;
- graphique de l'apprentissage tenu par l'élève ;
- notes d'auto-réflexion sur son propre travail.

Le tableau 10.6 propose une liste pour vous guider dans l'utilisation des portfolios en classe.

C'est le processus d'évaluation des portfolios à IM et d'autres performances relatives aux IM qui représente l'aspect le plus exigeant, dans l'utilisation de ces portfolios. Les réformes actuelles de l'évaluation mettent l'accent sur l'établissement de points de référence, de résultats holistiques ou d'autres normes permettant l'évaluation des performances et des travaux complexes. (*Voir Herman, Aschbacher et Winters 1992.*) Selon moi, seul l'aspect *compétence* du portfolio profite davantage de ces outils. Pour ce qui est des quatre autres éléments, l'accent devrait surtout être mis sur l'autoévaluation de l'élève et les mesures *ipsatives* (évaluation qui compare le travail de l'élève avec ses propres travaux antérieurs) plutôt que sur la comparaison avec les autres élèves. Malheureusement, certains enseignants utilisent des techniques d'évaluation alternatives qui réduisent le travail riche et complexe des élèves à des résultats holistiques ou selon un ordre, comme ceci : le portfolio A correspond à 1 ; le B, à 3 ; le projet artistique de l'enfant C est de niveau « novice » ; celui de l'enfant D, de niveau « expert ». Dans ses pires moments, ce concept réductionniste finit par ressembler de près aux tests normalisés. Dans l'évaluation des IM, nous devons nous concentrer *en profondeur* sur le travail individuel des élèves en termes de déploiement du caractère unique de chacun d'eux. (*Pour avoir des modèles de ce type, voir Carini 1979, 1982 ; Engel 1977 ; et Armstrong 1980.*)

Finalement, la théorie des IM fournit un mode d'évaluation grâce auquel la richesse et la complexité des apprentissages des élèves peuvent être reconnues, complimentées et stimulées. Puisque l'évaluation à IM et l'enseignement à IM représentent les deux faces d'une même médaille, il faut peu de temps pour établir les méthodes d'évaluation relatives aux IM lorsqu'elles sont perçues comme faisant partie intégrante du processus

---

TABLEAU 10.6

Portfolio à IM

Quelle utilisation ferez-vous du portfolio ?

_____ Pour l'auto-réflexion de l'élève (niveau cognitif).
_____ Comme une partie du bulletin scolaire (compétence).
_____ Pour les rencontres des parents (communication, compétence).
_____ Pour les réunions du programme d'études individualisé (communication, compétence).
_____ Pour les rapports transmis aux enseignants de l'année suivante (communication, compétence).
_____ Pour la planification du programme d'enseignement (compétence).
_____ Pour la reconnaissance des réussites des élèves (célébration).
_____ Pour la création d'activités d'apprentissage coopératif (coopération).
_____ Autres :

Que contiendra-t-il ?

_____ Seulement des travaux terminés sur différents sujets.
_____ Différents moyens d'expression d'un objectif particulier.

_____ Un graphique de l'évolution du projet, de la première idée au produit final.
_____ Des exemples représentatifs d'un travail hebdomadaire, mensuel ou annuel.
_____ Seulement le « meilleur » travail.
_____ Un ou des travaux de groupe.
_____ Autres :

Quelles méthodes utiliserez-vous pour sélectionner les éléments du portfolio ?
_____ Sélection du travail de l'élève à intervalles réguliers.
_____ Entraînement de l'élève à choisir (ex. : étiqueter avec des autocollants).
_____ Choix d'éléments qui respectent des critères établis.
_____ Sans critère précis.
_____ Autres :

À quoi ressemblera le portfolio ?
_____ Deux pièces de carton reliées par des agrafes ou du ruban adhésif.
_____ Boîte ou autre contenant.
_____ Album.
_____ Journal.
_____ Chemise.
_____ Livre relié.
_____ Cédérom.
_____ Autres :

Qui évaluera le portfolio ?
_____ Seulement l'enseignante ou l'enseignant.
_____ L'enseignante ou l'enseignant en collaboration avec d'autres enseignants.
_____ L'élève.
_____ Les pairs.
_____ Autres :

Comment les éléments du portfolio seront-ils disposés ?
_____ Chronologiquement.
_____ Par l'élève : du moins bon au meilleur travail (avec les raisons).
_____ Par l'enseignante ou l'enseignant : du travail le plus pauvre au plus important (avec les raisons).
_____ De la naissance d'une idée à sa réalisation.
_____ Par domaine.
_____ Autres :

Sur quels facteurs portera l'évaluation du portfolio ?
_____ Nombre d'éléments.
_____ Choix d'éléments.
_____ Degré de réflexion démontré.
_____ Amélioration par rapport aux performances précédentes.
_____ Atteinte des objectifs établis (par l'élève, l'enseignante ou l'enseignant, l'école).
_____ Interaction entre la production, la perception et la réflexion.
_____ Réaction aux commentaires, médiation.
_____ Révision approfondie.
_____ Consensus de groupe (parmi les enseignants).
_____ Volonté de courir des risques.
_____ Développement des thèmes.
_____ Utilisation de points de référence ou de normes pour fins de comparaison.
_____ Autres :

pédagogique. Ainsi, les exercices d'évaluation et d'apprentissage devraient pratiquement se confondre dès le départ. De plus, les enfants qui participent à ce processus devraient percevoir l'évaluation non comme un « jour du jugement » épouvantable, mais plutôt comme une autre occasion d'apprendre.

Pour une étude approfondie

1. Choisir un objectif d'apprentissage sur lequel vous désirez travailler avec les élèves, puis préparer un type d'évaluation à IM qui permettra aux élèves de démontrer leurs compétences liées à au moins deux intelligences.

2. Aider les élèves à monter des portfolios « célébrant leurs acquis » et regroupant des éléments issus de plusieurs intelligences. (*Voir le tableau 10.5*. Établir des modes de sélection du matériel (*voir le tableau 10.6*) et prévoir des occasions nous permettre aux élèves de réfléchir sur leurs portfolios et de les présenter aux autres.

3. Préparer une foire pour la « célébration des acquis » dans laquelle les élèves peuvent démontrer leurs compétences et exposer leurs produits relevant des sept intelligences.

4. Choisir une méthode de documentation que vous aimeriez explorer, mettre au point ou raffiner (ex. : la photographie, la vidéo, l'audio ou la duplication électronique du travail des élèves) et commencer à vous documenter sur le travail des élèves en utilisant ce moyen.

5. Tenir un journal quotidien ou hebdomadaire et y noter vos observations sur les démonstrations des élèves dans chacune des sept intelligences.

6. Expérimenter les différents types d'apports (méthodes de présentation) et de réponses (méthodes d'expression) à utiliser dans la conception de l'évaluation. Consulter le tableau 10.4 pour vous guider dans la conception des différents contextes d'évaluation.

7. Concevoir une méthode d'évaluation *ipsative* (une évaluation qui compare la performance de l'élève à ses performances précédentes), puis comparer son utilité par rapport aux autres méthodes d'évaluation (tests standards, points de référence, portfolios notés de façon holistique, etc.).

11 Les intelligences multiples et l'orthopédagogie

> Traitez les gens comme s'ils étaient ce qu'ils devraient être et vous les aiderez à devenir ce qu'ils sont capables d'être. [Traduction libre]
>
> — Goethe

LA THÉORIE DES INTELLIGENCES MULTIPLES a d'importantes répercussions dans le domaine de l'enfance en difficulté. En faisant appel à un éventail d'habiletés, la théorie des IM place les « problèmes » ou les « handicaps » dans un contexte plus large. Avec cette théorie comme toile de fond, les éducateurs perçoivent les enfants qui ont des besoins spéciaux comme des personnes à part entière, qui possèdent des forces dans plusieurs intelligences. Dans l'histoire de l'orthopédagogie aux États-Unis, les enseignants ont eu la malheureuse tendance (exception faite des enseignants doués) à travailler avec un paradigme de déficit pour aider les élèves à réussir à l'école, c'est-à-dire qu'ils se concentraient sur ce que les élèves *ne* pouvaient *pas* faire. Pour illustrer cette tendance, citons Mary Poplin dans son dernier message aux lecteurs, à titre d'éditrice de *Learning Disability Quarterly (LDQ)* :

> La terrible vérité, c'est que, durant les quatre années où j'ai été éditrice du *LDQ*, je n'ai reçu qu'un seul article où l'auteur misait sur les talents des élèves en difficulté d'apprentissage. C'est un constat terrible, puisqu'il s'agit d'un domaine censé se dédier à l'éducation des élèves ayant une intelligence moyenne ou supérieure... Comment se fait-il que nous ne sachions pas si nos élèves ont du talent en art, en musique, en sport, en mécanique, en informatique, ou

encore s'ils sont créatifs d'une façon non traditionnelle ? ... C'est parce que, comme bien des enseignants, nous tenons compte de la compétence dans son sens le plus traditionnel et livresque — la lecture, la rédaction, l'orthographe, les sciences, les sciences sociales et les mathématiques sous forme de textes de base et de feuilles d'activités. (Poplin, 1984). [Traduction libre]

On peut associer des thèmes semblables à d'autres domaines de l'orthopédagogie à savoir la *pathologie* du langage, le *retard* intellectuel, les *troubles* émotifs et le manque d'attention ; dans chacun des cas, la terminologie même démontrent clairement la présence d'un paradigme de déficience. (*Voir Armstrong, 1987.*)

La théorie des IM comme paradigme de croissance

Nous n'avons pas à considérer les enfants qui ont des besoins spéciaux principalement en termes de déficience, de désordre ou de maladie. Commençons plutôt à travailler avec les paramètres d'un paradigme de croissance. Le tableau 11.1 énumère certaines des différences de base entre ces deux paradigmes. Le paradigme de croissance, prévu dans la théorie des IM, permet d'aider les élèves qui ont des besoins spéciaux à l'école. Il reconnaît l'existence de difficultés ou de problèmes chez ces élèves, mais en les considérant d'abord comme des personne fondamentalement saines. Selon la théorie des IM, les « problèmes d'apprentissage », par exemple, peuvent apparaître dans chacune des sept intelligences. Ainsi, en plus des élèves atteints de dyslexie (déficience linguistique) et de dyscalculie (déficience logico-mathématique), il y en a qui sont atteints de prosopagnosie, ou difficulté particulière à reconnaître les visages (déficience spatiale), d'autres de dyspraxie idéomotrice, ou incapacité d'effectuer certaines commandes motrices (déficience kinesthésique), de dysfonction musicale et qui ont de la difficulté à chanter une chanson (déficience musicale), ainsi que des gens qui ont des problèmes particuliers de la personnalité (déficience intrapersonnelle) et des sociopathies (déficience interpersonnelle). Toutefois, ces déficiences surviennent souvent de façon isolée, sans porter atteinte aux autres intelligences de l'élève, lesquelles demeurent intactes. La théorie des IM offre alors un modèle qui permet de mieux comprendre un autiste savant qui, par exemple, est incapable de communiquer, mais qui peut jouer de la musique comme un professionnel ; l'élève dyslexique qui a un talent spécial en dessin ou en conception ; l'élève qui présente un handicap intellectuel mais qui peut jouer extrêmement bien sur une scène ; ou l'élève atteinte de paralysie cérébrale qui possède un génie linguistique ou logico-mathématique particulier.

Personnes célèbres ayant surmonté un handicap

Lorsqu'on étudie la vie de personnages connus de l'histoire et qui ont dû vaincre un handicap, on découvre des gens aux prises avec différents types de besoins mais pourvu d'un don exceptionnel dans l'une ou plusieurs des sept intelligences. Le tableau 11.2 dresse la liste de certaines de ces personnes, révèle l'handicap qu'elles ont dû vaincre et l'intelligence principale dans laquelle elles ont dévoilé leur génie.

Les personnes nommées au tableau 11.2 sont principalement connues grâce à leurs réussites. Dans certains cas, leur handicap était d'importance

---

TABLEAU 11.1

Le paradigme de déficience comparé au paradigme de croissance, en orthopédagogie.

Paradigme de déficience	Paradigme de croissance
• Met une étiquette sur l'élève en termes d'incapacités (ex. : troubles émotifs, problèmes de comportement, handicaps intellectuels, difficultés d'apprentissage).	• Évite les étiquettes ; considère l'élève comme une personne dans son intégrité et ayant des besoins spéciaux.
• Diagnostique les incapacités en utilisant une batterie de tests normalisés ; met l'accent sur les erreurs, les faibles résultats et les faiblesses en général.	• Évalue les besoins de l'élève à l'aide d'une méthode de mesure authentique dans un contexte naturel ; met l'accent sur les forces.
• Remédie aux incapacités à l'aide de certains traitements spécialisés qui sont souvent éloignés du contexte réel.	• Assiste la personne dans son apprentissage et sa croissance à travers un ensemble riche et varié d'interactions avec des activités et des événements de la vie réelle.
• Isole une personne de la vie scolaire normale en la plaçant dans une classe, un groupe ou un programme distinct.	• Maintient le contact entre l'élève et ses pairs en poursuivant un mode de vie aussi normal que possible.
• Utilise des termes, des tests, des programmes, des accessoires, du matériel et des cahiers d'activités qui sont différents de ceux des classes ordinaires.	• Utilise du matériel, des stratégies et des activités qui conviennent à *tous* les enfants.
• Segmente la vie de l'élève en objectifs du comportement et d'apprentissage particuliers qui sont régulièrement observés, mesurés et modifiés.	• Maintient l'intégrité de l'élève en tant qu'être humain complet dans l'évaluation de l'atteinte des objectifs d'apprentissage.
• Crée des programmes d'enseignement parallèles aux programmes ordinaires ; les enseignants de ces deux types de programmes se rencontrent rarement, excepté dans les réunions de planification du programme d'études individualisé.	• Établit des modèles de collaboration qui permettent aux spécialistes et aux enseignants des classes ordinaires de travailler main dans la main.

TABLEAU 11.2

Personnes aux performances exceptionnelles malgré un handicap

| | Incapacité ou handicap | | | | | |
	DA	DC	TE/PC	HP	HA	HV
Intelligence linguistique	Agatha Christie	Démosthène	Edgar Allan Poe	Alexander Pope	Samuel Johnson	Rudyard Kipling
Intelligence logico-mathématique	Albert Einstein	Michael Faraday	Charles Darwin	Stephen Hawking	Thomas Edison	Johannes Kepler
Intelligence spatiale	Léonard de Vinci	Marc Chagall	Vincent Van Gogh	Henri de Toulouse-Lautrec	Granville Redmond	Otto Litzel
Intelligence kinesthésique	Auguste Rodin	Amiral Robert Peary	Vaslav Nijinsky	Jim Abbott	Marlee Matlin	Tom Sullivan
Intelligence musicale	Sergheï Rachmaninov	Maurice Ravel	Robert Schumann	Itzhak Perlman	Ludwig van Beethoven	Joaquin Rodrigo
Intelligence interpersonnelle	Nelson Rockefeller	Winston Churchill	Harry Stack Sullivan	Franklin Roosevelt	King Jordan	Harry Truman
Intelligence intrapersonnelle	Général George Patton	Aristote	Friedrich Nietzsche	Mohammed	Helen Keller	Aldous Huxley

DA   = difficultés d'apprentissage
DC   = difficultés de communication
TE/PC = troubles émotifs/problèmes de comportement

HP = handicap physique
HA = handicap auditif
HV = handicap visuel

secondaire par rapport à leurs talents. Dans d'autres, il les a probablement stimulées à développer leurs habiletés exceptionnelles. La théorie des IM permet de discuter de ces expériences de vie et d'appliquer les conclusions d'une telle étude à la vie des élèves aux prises avec des problèmes semblables. Par exemple, cela peut permettre à l'élève dyslexique de comprendre que son problème peut n'affecter directement qu'une petite partie d'une intelligence (l'aspect lecture de l'intelligence linguistique), laissant intactes de vastes régions de son potentiel d'apprentissage. Par exemple, il est intéressant de noter que plusieurs grands auteurs, dont Agatha Christie et Hans Christian Andersen, étaient dyslexiques. (*Voir Illingworth et Illingworth, 1966, et Fleming, 1984.*)

En percevant les élèves qui ont des besoins spéciaux comme des individus à part entière, la théorie des IM permet d'envisager un cheminement positif par lequel ces élèves peuvent apprendre à vivre avec leurs difficultés. Les enseignants qui voient les difficultés dans le contexte des sept intelligences constatent qu'elles apparaissent dans une seule partie de la personnalité de l'élève et peuvent ainsi commencer à porter leur attention sur les *forces* de ces élèves pour élaborer une stratégie de rattrapage appropriée. Selon la recherche sur le « désir d'accomplissement personnel » ou « l'effet Pygmalion », la manière dont les enseignants perçoivent un ou une élève peut avoir une influence subtile, mais importante, sur la qualité de l'enseignement qu'ils lui donnent et peut, ultimement, contribuer à la réussite ou à l'échec scolaire de l'élève. (*Voir Rosenthal et Jacobsen, 1968.*)

Contournement cognitif

Il importe donc que les enseignants et les administrateurs jouent aux « détectives des forces des IM » auprès des élèves qui éprouvent des difficultés à l'école. Ce type d'exercice peut conduire à des solutions positives. D'ailleurs, les élèves qui ne réussissent pas parce qu'ils sont limités dans certains aspects d'une intelligence peuvent, selon la théorie des IM, souvent contourner ces obstacles en empruntant une voie de rechange qui exploite, pour ainsi dire, leurs intelligences les plus développées. (*Voir Gardner, 1983.*)

Dans certains cas, ces élèves peuvent apprendre un *système symbolique de rechange* associé à une de leurs intelligences intactes. Les meilleurs exemples sont le braille (pour les non-voyants) et le langage signé (pour les malentendants). Dans chacun de ces cas, le système symbolique linguistique (langue écrite ou parlée) est associé aux systèmes symboliques kinesthésique/spatial qui nécessitent, en plus d'une intelligence linguistique, une sensibilité tactile (pour le braille), une dextérité manuelle ainsi qu'une bonne expression physique (pour le langage signé). Il est intéressant de noter que le braille et le langage signé sont tous deux utilisés avec succès par les élèves atteints de dyslexie grave et possédant des forces particulières dans les domaines spatiaux et kinesthésiques. (*Voir McCoy, 1975.*) De même, des chercheurs ont observé une réussite plus grande quand on enseignait les caractères chinois à un groupe d'élèves « incapables de lire » que lorsqu'on leur enseignait l'alphabet anglais (*Rozin, Poritsky et Sotsky 1971*). Dans ce cas, un système symbolique idéographique (chinois) fonctionne mieux avec ces enfants d'intelligence spatiale que ne le fait le code linguistique (symbole sonore) anglais.

Dans d'autres cas, la stratégie utilisée mettra en jeu une *technologie de remplacement* ou un outil d'apprentissage spécial. Par exemple, le *XEROX/ Kurzweil Personal Reader*, un appareil électronique utile à ceux qui ne peuvent décoder les mots imprimés (à cause de difficultés particulières de lecture ou de perception), lit les caractères imprimés qu'il transfère en impulsions sonores audibles ou compréhensibles. De même, les calculatrices sont venues à la rescousse des gens qui éprouvaient de graves difficultés en calcul ou avec d'autres opérations mathématiques. Quelquefois, la stratégie de renforcement prend forme humaine, comme une thérapeute (pour ceux qui éprouvent des difficultés avec leurs intelligences personnelles), un guide (pour ceux qui ont des problèmes physiques ou de perception), un conseiller ou une conseillère (pour ceux qui ont des problèmes particuliers d'apprentissage). Le tableau 11.3, qui propose d'autres stratégies de renforcement importantes, démontre comment on peut réussir à surmonter une difficulté dans une intelligence en réorientant une tâche vers une intelligence plus développée.

La méthode utilisée pour aider les élèves ayant des besoins spéciaux peut également être employée pour créer des *stratégies d'enseignement* appropriées. Il s'agit de traduire l'information, qui est dans un système symbolique que l'élève ne peut apprendre ou comprendre, vers le système symbolique d'une intelligence *développée de l'élève*. Le tableau 11.4 donne quelques exemples.

Essentiellement, la méthode utilisée pour créer des stratégies de rattrapage est la même que pour créer les sept façons d'enseigner relatives aux IM, pour les classes ordinaires. (*Voir chapitre 5, p. 52.*) Cette convergence entre les méthodologies de l'éducation odinaire et de l'orthopédagogie vient appuyer le paradigme de croissance fondamental inhérent à la théorie des IM. Autrement dit, les meilleures activités d'apprentissage pour les élèves ayant des besoins spéciaux sont celles qui réussissent le mieux avec *tous* les élèves. Ce qui peut être différent toutefois, c'est la manière dont les leçons sont adaptées aux besoins individuels des élèves ou des petits groupes d'élèves.

TABLEAU 11.3

Stratégies pour contourner les faiblesses intellectuelles

	Type de stratégie de contournement						
	Linguistique	Logico-mathématique	Spatiale	Musicale	Kinesthésique	Interpersonnelle	Intrapersonnelle
Faiblesse linguistique	magnétophone, *Kurzweil Reader*	langage informatique	langage idéographique	paroles de chansons	braille, langage signé	personne qui fait la lecture	journal général
Faiblesse logico-mathématique	calculatrice	logiciel d'apprentissage	tableaux, diagrammes, graphiques	instruments de musique comme outils mathématiques	objets de manipulation	conseiller ou conseillère en mathématiques	programmes de mathématiques ou de sciences suivant le rythme de l'élève
Faiblesse spatiale	livres-cassettes et bandes audio, visites guidées	dessin assisté par ordinateur	loupes, cartes géographiques	bâton de marche muni d'un capteur sonore	cartes en relief	guide personnel	visites autoguidées
Faiblesse kinesthésique	livres « Comment ça marche ? »	réalité virtuelle	schémas de chorégraphie	capteurs biologiques sonores	appareils de mobilité, fauteuil roulant électrique	camarade	rétroaction sur bande vidéo
Faiblesse musicale	poésie rythmée	interfaces digitales pour instruments de musique	appareil qui transforme la musique en série de lumières colorées	cassettes, disques compacts, enregistrements	instruments de musique à vibration amplifiée	professeur de musique	leçons de musique au rythme de l'élève
Faiblesse interpersonnelle	« cure par la parole » en psychothérapie	tableaux de notes électroniques	films sur les relations interpersonnelles	groupes musicaux	groupe de randonnée, sortie en plein air	groupe de soutien	psychothérapie individuelle
Faiblesse intrapersonnelle	livres de croissance personnelle	logiciel d'auto-évaluation de la personnalité	thérapie par l'art	musicothérapie	recherche de vision intérieure	psychothérapeute	retraite, solitude

TABLEAU 11.4

Stratégies de rattrapage à IM pour des matières précises

	Sujet		
	Inversion des lettres « b » et « d »	Les trois états de la matière	Compréhension des fractions
Stratégie de rattrapage linguistique	Identifier en contexte dans les mots ou les phrases.	Faire une description orale, donner de la lecture.	Recourir à des histoires, à des problèmes écrits.
Stratégie de rattrapage logico-mathématique	Jouer aux anagrammes ou à d'autres jeux de vocabulaire.	Classer les substances dans la classe.	Montrer les rapports mathématiques sur une ligne numérique.
Stratégie de rattrapage spatiale	Encoder en couleur les lettres « b » et « d » ; utiliser des figures stylisées pour chaque lettre ; faire des « dessins » avec les lettres.	Faire des dessins des différents états ; regarder des illustrations de molécules à différents états.	Observer un diagramme en « pointes de tarte » ; faire des dessins.
Stratégie de rattrapage kinesthésique	Utiliser des trucs mnémoniques physiques (coller les poings, les paumes face à vous, les pouces dressés vers le haut, ce qui forme respectivement un « b » et un « d »).	Interpréter les trois états en dansant ; faire des expériences pratiques de laboratoire ; construire des modèles des trois états.	Diviser des pommes ou d'autres aliments en parties distinctes.
Stratégie de rattrapage musicale	Chanter des chansons qui contiennent beaucoup de « b » et de « d ».	Faire jouer un enregistrement musical à trois vitesses différentes.	Jouer une fraction de chanson (ex. : une note d'une chanson à trois notes).
Stratégie de rattrapage interpersonnelle	Remettre aux élèves des cartes sur lesquelles sont notées les lettres « b » ou « d », les inviter à produire le son, à trouver les autres élèves qui reproduisent le même son qu'eux (auditif), puis à le vérifier en regardant les cartes de leurs camarades.	Créer les trois états avec la classe (chaque personne est une molécule).	Diviser la classe en différentes fractions.
Stratégie de rattrapage intrapersonnelle	Dresser une liste des mots préférés des élèves qui commencent par un « b » ou un « d ».	Examiner les trois états dans le corps, à la maison et dans le voisinage.	Choisir une fraction et en trouver des exemples.

La théorie des IM dans l'élaboration des programmes d'études individualisés

La théorie des IM se prête particulièrement bien à l'élaboration de stratégies d'enseignement dans les programmes d'études individualisés pour les élèves en difficulté. Elle peut notamment aider les enseignants à déterminer les forces et le style d'apprentissage préféré de l'élève. Cette information peut alors servir de point de départ pour décider du type d'intervention appropriée dans le cadre des programmes d'études individualisés.

Trop souvent, on place l'élève qui éprouve des problèmes dans un domaine particulier dans un programme d'études individualisé qui néglige ses intelligences les plus développées et se concentre sur ses faiblesses. Prenons l'exemple de l'élève dont les intelligences kinesthésique et spatiale sont bien développées, mais qui a de la difficulté à apprendre à lire. Dans beaucoup d'écoles aujourd'hui, l'élève en question participera à un programme d'études individualisé qui ne comportera pas d'activités physiques ni picturales pour atteindre les objectifs d'apprentissage. On suggérera fréquemment, dans le cas des interventions qui comprennent *davantage* d'exercices linguistiques, par exemple des programmes de lecture et des activités d'éveil auditif, contenant en doses plus concentrées et contrôlées le type de tâche que l'élève ne réussit pas à accomplir en classe ordinaire !

La théorie des IM suggère une méthode fondamentalement différente : enseigner en utilisant des intelligences antérieurement négligées par les enseignants qui travaillaient avec l'enfant. Le tableau 11.5 donne des exemples de programmes d'études individualisés conçus pour les élèves qui ont de la difficulté à apprendre à lire, mais qui sont forts dans d'autres domaines intellectuels. Il est à noter que ces exemples suggèrent des stratégies tant au niveau de l'enseignement que de la mesure de la performance de l'élève.

Influence de la théorie des IM sur l'orthopédagogie

L'influence que la théorie des IM peut avoir sur l'orthopédagogie va beaucoup plus loin que l'élaboration de nouvelles stratégies et d'interventions de rattrapage. Appliquée à grande échelle dans les programmes d'études ordinaires et spécialisés dans une commission scolaire, cette théorie est susceptible de créer les effets suivants :

Moins de transferts vers les classes spécialisées. Quand le programme d'enseignement applique tout le spectre des intelligences, le nombre de

TABLEAU 11.5

Planification à IM dans les programmes d'études individualisés

Sujet : Lecture

Objectif pédagogique à court terme : En lisant un extrait non familier d'un texte de niveau de lecture équivalent au début de la 2e année, l'élève pourra décoder efficacement 80 % des mots et répondre à quatre des cinq questions sur la compréhension du contenu.

Plan 1 : Pour l'enfant ayant des intelligences kinesthésique et spatiale développées

Matériel et stratégies possibles :

- L'élève peut jouer (mimer) les nouveaux mots et le contenu des nouvelles histoires.
- L'élève peut intégrer des nouveaux mots dans des dessins (ex. : dessiner des lampadaires sur le mot « rue »).
- L'élève peut former des nouveaux mots avec de la glaise.
- L'élève peut faire des dessins qui illustrent le contenu d'un livre.

Évaluation : L'élève a la permission de bouger en lisant un livre ; l'élève peut répondre oralement ou en dessinant aux questions portant sur le contenu.

Plan 2 : Pour l'enfant ayant des intelligences musicale et interpersonnelle développées

Matériel et stratégies possibles :

- L'élève peut composer des chansons avec les nouveaux mots.
- L'élève peut jouer à des jeux de société ou de cartes qui demandent l'apprentissage de nouveaux mots.
- L'élève peut utiliser des livres de chansons comme matériel de lecture (paroles de chansons accompagnées de musique).
- L'élève peut lire des livres pour enfants à une ou un camarade.
- L'élève peut enseigner à lire à un enfant plus jeune.

Évaluation : L'élève a la permission de chanter en lisant un livre ; l'élève peut démontrer sa compétence en lisant un livre à un autre enfant, en répondant à des questions sur le contenu posées par un ou une camarade ou bien les deux à la fois.

---

transferts d'élèves vers les classes spécialisées diminue. Actuellement, la plupart des enseignants se concentrent sur les intelligences linguistique et mathématique, négligeant ainsi les besoins des élèves qui apprennent mieux par le biais des intelligences musicale, spatiale, kinesthésique, interpersonnelle ou intrapersonnelle. Ce sont ces élèves qui, le plus souvent, subissent des échecs dans les classes ordinaires et qui se retrouvent dans les classes spécialisées. Par contre, quand les classes ordinaires tiennent davantage compte des différents besoins des apprenants, grâce aux programmes à IM, le nombre de transferts décroît, notamment pour les problèmes d'apprentissage et de comportement. Ce modèle appuie donc le mouvement d'intégration scolaire dans l'éducation. (*Voir Stainback, Stainback et Forest 1989.*)

Un rôle en mutation pour les orthopédagogues éducateurs spécialisés. Les éducateurs spécialisés, ou spécialistes en apprentissage, joueront moins le rôle d'éducateurs de classe « isolée » ou spécialisée et davantage celui de conseillers spécialisés en IM pour les enseignants des classes ordinaires. Dans ce nouveau rôle, les conseillers en IM, agissant peut-être comme agents de liaison entre le programme d'enseignement et les élèves (*voir chapitre 9*), peuvent assister les enseignants des classes ordinaires dans certaines des tâches suivantes :

- cibler les intelligences les plus fortes des élèves ;
- se concentrer sur les besoins particuliers de certains élèves ;
- concevoir des programmes d'activités d'enseignement à IM ;
- concevoir des interventions à IM ;
- travailler avec des groupes en utilisant des activités à IM.

La plupart du temps (ou tout le temps) dont dispose un orthopédagoque spécialisé en IM peut se passer dans la classe ordinaire à se concentrer sur les besoins individuels des élèves et à viser des activités à IM spéciales pour atteindre des objectifs d'apprentissage spécifiques.

Un plus grand accent sur la détermination des forces. Les enseignants qui évaluent les élèves ayant des besoins spéciaux mettront davantage l'accent sur la détermination des forces des élèves. Les mesures qualitatives et authentiques (comme celles qui sont décrites aux chapitres 3 et 10) sont plus susceptibles d'avoir un plus grand rôle dans l'orthopédagogie et pourront peut-être même supplanter les mesures diagnostiques standard dans l'élaboration de programmes d'enseignement appropriés.

Une estime de soi améliorée. L'accent mis sur les forces et les habiletés des enfants ayant des besoins spéciaux va permettre aux éléves d'améliorer leur estime de soi et leur maîtrise intérieure, facilitant ainsi la réussite d'un plus grand nombre d'apprenants.

Une compréhension et une appréciation améliorées des élèves. Comme la thérorie des IM permet aux élèves de donner un sens à leurs différences individuelles, ils sont plus susceptibles de faire preuve de tolérance, de compréhension et d'appréciation envers ceux et celles qui ont des besoins spéciaux, ce qui facilite une pleine intégration dans les classes ordinaires.

Finalement, l'adoption de la théorie des IM (ou d'une philosophie apparentée aux IM) dans enseignement conduira l'orthopédagogie vers un paradigme de croissance et favorisera un niveau plus élevé de coopération entre l'enseignement spécialisé et ordinaire. Les classes à IM deviendront alors l'environnement le moins restrictif pour tous les élèves ayant des besoins spéciaux, exception faite des plus turbulents.

Pour une étude plus approfondie

1. Concevoir une unité du programme d'enseignement pour une classe ordinaire ou spécialisée, mettant l'accent sur des personnages célèbres qui ont vaincu des handicaps. Utiliser des biographies, des cassettes vidéo, des diapositives et d'autres outils. Discuter avec les élèves du fait que le handicap ne touche qu'une partie de la vie d'une personne. À l'aide de la théorie des IM, démontrer que les handicaps ne constituent en fait que des obstacles chez des êtres humains fondamentalement sains.

2. Cibler un ou une élève ayant des besoins spéciaux et qui, actuellement, ne réussit pas dans le système scolaire puis, à l'aide de stratégies proposées au chapitre III, déterminer ses forces à partir de la théorie des intelligences multiples. Faire un remue-méninges pour trouver autant de forces que possible, dont celles qui combinent plusieurs intelligences. Discuter ensuite avec des collègues de la façon dont ce processus d'évaluation des forces peut influencer leur perception générale de l'élève et proposer de nouvelles solutions pour l'aider.

3. Trouver un élève ayant des besoins spéciaux et qui a des difficultés d'apprentissage à cause de ses limites dans une intelligence particulière. Déterminer des outils de renforcement particuliers (ex. : système symbolique de rechange, matériel didactique, logiciel, ressource humaine) qui peuvent aider à « réorienter » le problème vers une intelligence très développée. Appliquer un ou deux des outils les plus appropriés aux besoins particuliers de l'élève, puis évaluer les résultats.

4. Dans le cadre d'un programme d'études individualisées, concevoir des stratégies à intelligences multiples basées sur les forces de l'élève dans l'une ou plusieurs des intelligences.

5. Rencontrer une enseignante ou un enseignant de classe ordinaire (si vous êtes orthopédagogue) ou un spécialiste (si vous êtes enseignante ou enseignant) et discuter ensemble des moyens et des stratégies à IM à utiliser pour aider les enfants qui ont des besoins spéciaux à réussir, dans la vie scolaire normale.

6. Travailler individuellement avec un ou une enfant ayant des besoins spéciaux (ou avec un petit groupe d'enfants) et l'aider à découvrir ses forces spéciales en lien avec la théorie des IM.

12 Les intelligences multiples et les compétences cognitives

Bien que l'homme, être pensant, soit défini,
Peu emploient l'apanage de l'esprit.
Peu pensent en bien de la minorité pensante !
Combien ne pensent jamais et pensent qu'ils le font ! [Traduction libre]

— Jane Taylor

AVEC LA VENUE DE LA PSYCHOLOGIE COGNITIVE comme paradigme prédominant en éducation, les enseignants veulent de plus en plus aider les élèves à mettre au point des stratégies de pensée. *La manière* de penser des élèves est devenue plus importante que *ce* qu'ils pensent. La théorie des IM fournit un contexte idéal pour comprendre les compétences cognitives des élèves, les sept intelligences du modèle constituant des habiletés cognitives. De plus, pour développer l'une ou l'ensemble de ces intelligences, il faut promouvoir et stimuler l'habileté des élèves à penser. Il peut être utile, cependant, d'examiner plus particulièrement comment la théorie des IM s'applique aux domaines les plus souvent mis de l'avant par les enseignants qui adoptent une approche cognitive de l'apprentissage : la mémoire, la résolution de problèmes d'autres formes de pensée de niveau élevé et différents niveaux de taxonomie cognitive de Bloom.

La mémoire

La mémoire des élèves a toujours semblé dérouter les enseignants. « Ils le savaient hier, mais aujourd'hui c'est disparu » est un refrain familier.

« C'est comme si je ne l'avais jamais enseigné. Qu'est-ce qui se passe ? »
entend-on souvent. Aider les élèves à se souvenir de ce qu'ils apprennent
est l'un des problèmes les plus pressants et les moins résolus de l'éducation. La théorie des IM fournit un point de vue utile à ce vieux problème.
Elle suggère que la notion de mémoire « pure » est imparfaite. En fait,
selon Howard Gardner, la mémoire est spécifique d'une intelligence et il
n'y a pas de « bonne mémoire » ni de « mauvaise mémoire » à moins
qu'une intelligence ne soit spécifiée. Ainsi, on peut avoir une bonne
mémoire des visages (intelligence spatiale/interpersonnelle), mais une
mauvaise mémoire des noms et des dates (intelligence linguistique/logico-
mathématique). On peut avoir une habileté supérieure à se rappeler une
chanson (intelligence musicale), mais être incapable de se souvenir des
pas de danse qui l'accompagnent (intelligence kinesthésique).

Selon cette nouvelle façon de concevoir les intelligences, les élèves qui
ont une « mauvaise mémoire » peuvent avoir une pauvre mémoire dans seulement une ou deux intelligences. Le problème vient du fait que ce manque
de mémoire se situe dans l'une ou les deux intelligences qui sont le plus
souvent sollicitées à l'école, à savoir les intelligences linguistique et
logico-mathématique. La solution consiste alors à aider ces élèves à accéder
à leurs « bonnes » mémoires dans les autres intelligences (ex. : musicale,
spatiale et kinesthésique). Par conséquent, le développement de l'intelligence, ou le travail mettant en jeu la mémorisation de n'importe quelle
matière, devrait s'enseigner de manière à activer les sept « mémoires ».

L'orthographe est une matière qui demande typiquement beaucoup de
mémoire. Malheureusement, la plupart des méthodes d'enseignement de
l'orthographe ne mettent en jeu que des stratégies linguistiques : écrire le
mot cinq fois, utiliser le mot dans une phrase, épeler le mot à voix haute,
etc. Or, la théorie des IM suggère que ceux qui ont des problèmes en orthographe doivent expérimenter autre chose que les stratégies auditive, orale
et écrite (toutes linguistiques) pour réussir. Voici quelques exemples de
moyens par lesquels la structure orthographique des symboles linguistiques (ex. : l'alphabet français) peut fusionner avec d'autres intelligences
pour améliorer le souvenir de la graphie des mots.

Intelligence musicale : L'épellation peut être chantée. Par exemple, un
mot de quatre lettres (ou d'un multiple de quatre) pourrait être épelé sur
l'air de la chanson « *Meunier, tu dors,* » et un mot de six lettres, sur l'air de
« *Au clair de la lune* ».

Intelligence spatiale : L'épellation peut être visualisée. On peut faire
visualiser un « tableau intérieur » ou un autre écran mental par les yeux
intérieurs des élèves. Pendant la leçon, les élèves inscrivent les mots sur

cet écran ; quand vient le temps d'un test, ils n'ont qu'à consulter leur « tableau ».

Voici d'autres méthodes spatiales : code de couleur pour l'orthographe ; intégration des mots épelés dans un dessin (ex. : le mot « soleil » peut être dessiné, entouré de rayons qui en émanent) ; réduction de l'orthographe à des « illustrations » ou croquis illustrant l'emplacement spatial des radicaux des mots.

Intelligence logico-mathématique : L'orthographe peut être « digitalisée », c'est-à-dire qu'elle peut être représentée par une série de 0 et de 1 (consonne = 1 ; voyelle = 0) ; elle peut aussi être encodée selon un autre système numérique (ex. : selon sa place dans l'alphabet, chaque lettre est remplacée par un nombre : a = 1, b = 2, etc.).

Intelligence kinesthésique : L'orthographe peut être traduite en langage signé ou en mouvements du corps. L'inscription de mots dans le sable, le modelage dans la glaise et l'utilisation de mouvements pour illustrer les règles dans les mots (ex. : se lever au son d'une voyelle ; s'asseoir au son d'une consonne) constituent d'autres méthodes kinesthésiques.

Intelligence interpersonnelle : Les mots peuvent être épelés par un groupe d'élèves. Par exemple, chaque élève a une lettre, l'enseignante ou l'enseignant nomme un mot, puis tous les élèves qui possèdent les lettres appropriées forment le mot.

Intelligence intrapersonnelle : Les élèves épellent les mots avec la graphie qu'ils pensent ou encore ils peuvent apprendre à épeler les mots qui ont une signification pour eux (orthographe spontané).

La tâche de l'enseignante ou de l'enseignant est alors d'aider les élèves à associer la matière à apprendre aux éléments des différentes intelligences : mots, nombres, images, mouvements, phrases musicales, interactions sociales, expériences et sentiments personnels. Une fois que les élèves ont vu les techniques mnémoniques des sept intelligences, ils peuvent choisir celles qui leur conviennent le mieux et sont capables de les utiliser par eux-mêmes pendant les séances d'étude individuelle.

Résolution de problème

Même si les recherches révèlent que les élèves américains ont au cours des dernières années amélioré leurs performances dans l'apprentissage par cœur, (comme l'orthographe et l'arithmétique), elles les situent très bas dans l'échelle de la réussite par rapport aux autres pays sur la mesure des habiletés cognitives d'ordre supérieur (ou plus complexes) (Fiske, 1987, 1988) On considère notamment que l'habileté des élèves américains à résoudre des problèmes aurait grand besoin d'amélioration. Par conséquent, de plus en plus d'enseignants recherchent des moyens d'aider les élèves à *penser* plus efficacement, lorsqu'ils rencontrent des problèmes d'ordre académique. Malheureusement, la tendance actuelle est de développer la pensée critique des élèves en utilisant le raisonnement logico-mathématique, le discours à soi-même ou d'autres stratégies linguistiques.

Pour sa part, la théorie des IM affirme que la *pensée* peut déborder et déborde fréquemment de ces deux domaines. Pour illustrer ces autres formes de résolution de problèmes, il peut être utile de revoir les processus de réflexion de gens célèbres dont les découvertes ont aidé à modeler le monde que nous connaissons. (*Voir John-Steiner, 1987 et Gardner, 1993b.*) En étudiant les « performances exceptionnelles » obtenues grâce aux méthodes de résolution de problèmes adoptées par ces grands personnages, les enseignants peuvent apprendre beaucoup de choses utiles pour inciter leurs élèves à utiliser le même type de procédé.

Plusieurs penseurs utilisent l'imagerie et les métaphores visuelles (intelligence spatiale) pour faciliter leur travail. Par exemple, une étude des cahiers de notes de Charles Darwin révèle qu'il a utilisé l'image d'un arbre pour développer la théorie de l'évolution :

> Les êtres organisés forment un arbre aux branches irrégulières... quand un bouton terminal meurt, un autre est créé. (Gruber, 1977.)

Le physicien John Howarth était plus explicite dans la description de ses méthodes de résolution de problèmes :

> Je fais des dessins abstraits. Je me suis simplement rendu compte que le processus d'abstraction des images dans ma tête est semblable à l'abstraction en jeu quand on fait face analytiquement à des problèmes physiques. On réduit le nombre de variables, simplifie et considère que ce que l'on espère est la partie essentielle de la situation étudiée. Ensuite, on applique les techniques analytiques. En faisant des dessins, il est possible d'en choisir un qui contient les représentations des éléments essentiels seulement — un dessin simplifié, extrait d'un nombre de dessins et contenant leurs éléments communs. (John-Steiner, 1987.)

D'autres ont utilisé des stratégies qui combinent des images spatiovisuelles et certains aspects cinétiques ou *kinesthésiques* de la pensée. Par exemple, Albert Einstein travaillait fréquemment « avec des expériences mentales » qui l'ont aidé à développer la théorie de la relativité, comme la fantaisie selon laquelle il est possible de chevaucher un faisceau lumineux. Quand un mathématicien français lui a demandé de décrire ses chemine- ments de pensée, Einstein a répondu que ceux-ci comprenaient des élé- ments de types visuel et musculaire. (*Voir Ghiselin 1955.*) De même, Henri Poincaré a raconté comment il s'est battu pendant des jours avec un problème mathématique frustrant :

> Durant quinze jours, je me suis efforcé de prouver qu'il ne pouvait y avoir de fonctions comme celles que j'ai depuis appelées fonctions fuchsiennes . J'étais alors très ignorant : tous les jours, je m'assoyais à ma table, y passais une ou deux heures, essayais un grand nombre de combinaisons et n'obtenais aucun résultat. Un soir, contraire- ment à mon habitude, j'ai bu du café noir et je n'ai pu dormir. Les idées se bousculaient : *je les sentais se heurter jusqu'à ce que des paires se forment*, pour ainsi dire, faisant une combinaison stable. Le matin suivant, j'avais établi l'existence d'une classe de fonctions fuchsiennes, celles qui viennent des séries hypergéométriques. Je n'avais qu'à écrire les résultats, ce qui ne m'a pris que quelques heures. (Ghiselin, 1955, p. 36)

Les musiciens, eux, parlent d'un autre type de résolution de problèmes, un type qui implique l'accès à l'imagerie musicale. Mozart expliquait son propre processus de composition de la façon suivante :

> Je n'entends pas, dans mon imagination, les parties [de la composi- tion] successivement, je les entends plutôt, comme elles devraient être, en un seul ensemble. Je ne peux exprimer la délectation que cela me procure. Toute cette invention, cette production prend place dans un rêve gai et plaisant. (Ghiselin, 1955, p. 45)

Einstein a reconnu l'intervention de la pensée musicale dans un domaine logico-mathématique/spatial quand, faisant référence au modèle atomique de Nils Bohr dans lequel les électrons en orbite absorbent et libè- rent de l'énergie, il a écrit, « c'est la plus haute forme de musicalité dans la sphère de la pensée ». (Clark, 1972, p. 292)

Il y a même des méthodes uniques aux intelligences personnelles. Par exemple, un commentateur réfléchissant sur l'intelligence interperson- nelle de Lyndon B. Johnson a dit :

> Beaucoup de types peuvent sourire et être révérencieux. Lui avait quelque chose d'autre. Peu importe ce qu'une personne pouvait dire, Lyndon était toujours d'accord avec elle — la devançait, en fait. Il pouvait suivre la pensée de quelqu'un — et imaginer où il voulait en venir et le deviner. (Caro, 1990)

Dans un mode plus intrapersonnel, Marcel Proust utilisait des sensa-tions simples, comme le goût d'une pâtisserie pour évoquer des sentiments intérieurs qui le ramenaient au temps de son enfance — un contexte qui lui a fourni les bases de son chef-d'œuvre, *À la recherche du temps perdu*. (*Voir Proust, 1928.*)

Ces processus cognitifs des « performances exceptionnelles » appli-qués à la pratique de la classe peuvent sembler insaisissables à première vue. Cependant, il est possible de distiller certains éléments de base des stratégies de ces génies, puis de créer des stratégies qui peuvent être appli-quées aux élèves du primaire. Par exemple, les élèves peuvent apprendre à « visualiser » leurs idées d'une manière semblable à celle dont Einstein faisait ses expériences de pensée. Ils peuvent apprendre à tracer des images métaphoriques relatives aux problèmes sur lesquels ils travaillent, comme le faisait Darwin dans ses cahiers de notes. Voici une liste de différentes stratégies de résolution de problèmes qui peuvent être utilisées par les élèves dans un centexte d'apprentissage.

Intelligence linguistique : le discours à soi-même ou la pensée à voix haute. (*Voir Perkins, 1981.*)

Intelligence logico-mathématique : l'heuristique logique. (*Voir Polya, 1957.*)

Intelligence spatiale : la visualisation, le croquis d'idées, la représen-tation mentale. (*Voir McKim, 1980 et Margulies, 1991.*)

Intelligence kinesthésique : l'imagerie kinesthésique (*voir Gordon et Poze, 1966*) ; ainsi que l'accession aux « sentiments viscéraux » ou l'utili-sation des mains, des doigts ou du corps entier pour résoudre des pro-blèmes.

Intelligence musicale : la sensation du « rythme » ou de la « mélodie » d'un problème (ex. : harmonie ou dissonance) ; l'utilisation de la musique pour libérer les habiletés de résolution de problème. (*Voir Ostrander et Schroeder, 1979.*)

Intelligence interpersonnelle : la réflexion sur les idées des autres. (*Voir Johnson, Johnson, Roy et Holubec 1984*).

Intelligence intrapersonnelle : l'identification au problème ; l'acces-sion aux images des rêves, aux sentiments personnels liés au problème ; l'introspection profonde. (*Voir Harman et Rheingold, 1984.*)

Une fois que les élèves connaissent de telles stratégies, ils peuvent choisir, parmi un menu cognitif, les méthodes qui sont plus susceptibles de leur convenir dans n'importe quelle situation d'apprentissage. Ce type d'enseignement cognitif peut se révéler plus riche que le programme « techniques des habiletés de la pensée » traditionnel, qui consistait trop souvent en feuilles de travail contenant des jeux et des problèmes ou des transparents qui donnaient en détail les cinq étapes de la résolution d'un problème de mathématiques. À l'avenir, quand les élèves seront invités par l'enseignante ou l'enseignant à « penser plus fort », ils auront le loisir de lui demander : « Dans quelle intelligence ? »

Favoriser les expériences à la « Christophe Colomb »

Dans son livre *The Unschooled Mind*, Howard Gardner (1991) parle de la tendance dans les écoles d'aujourd'hui à enseigner un savoir en surface sans jamais toucher à la compréhension profonde du monde. Par conséquent, les élèves sortent de l'école secondaire, du collégial et même de l'université avec de nombreuses croyances naïves qu'ils avaient à l'âge préscolaire. Par exemple, au collégial, 70 % des élèves qui avaient terminé un cours de physique mécanique ont dit qu'une pièce de monnaie lancée en l'air subissait l'action de deux forces, la force vers le bas de la gravité et celle vers le haut venant de la main (la vérité est que seule la gravité exerce une force). (*Gardner, 1991*) Des élèves bien instruits, qui peuvent réciter des algorithmes, des règles, des lois et des principes dans différents domaines entretiennent encore, selon Gardner, un champ miné de fausses idées, de procédures rigidement appliquées, de stéréotypes et de simplifications. Ce qui est nécessaire, c'est une approche pédagogique qui conteste les croyances naïves, qui soulève des questions, qui invite à des points de vue multiples et finalement, élargit l'esprit de l'élève à un point qui lui permet d'appliquer son savoir à des situations et à des contextes nouveaux.

Selon Gardner, l'esprit de l'élève peut être élargi grâce à l'utilisation d'expériences à la « Christophe Colomb ». Bien que Gardner utilise ce terme spécifiquement pour faire référence à l'explosion des fausses idées dans le domaine des sciences, il s'agit là d'une belle métaphore pour désigner l'expansion en général des intelligences multiples d'un enfant vers des niveaux plus élevés de compétence et de compréhension. Comme Christophe Colomb a rejeté la croyance que la Terre était plate en naviguant « plus loin que le bord », démontrant ainsi sa forme incurvée, les enseignants devraient, selon Gardner, contester les croyances limitées des élèves en les menant « plus loin que le bord » ; et ce, dans des domaines où ils doivent confronter les contradictions et les incohérences de leur propre pensée. Il est possible d'appliquer cette méthode générale à la théorie des intelligences multiples. Voici quelques exemples d'activités qui peuvent permettre d'élargir l'esprit des élèves dans chacune des intelligences :

Intelligence linguistique : Amener les élèves au-delà de l'interprétation littéraire d'une œuvre (ex. : le roman *Moby Dick* est plus qu'un récit marin sur une baleine).

Intelligence logico-mathématique : Concevoir des expériences scientifiques qui amènent les élèves à confronter les contradictions qu'ils éprouvent à propos de phénomènes naturels (ex. : demander aux élèves de prédire comment une balle roulant directement du centre d'un manège en mouvement se déplacera vers le bord, puis discuter des résultats).

Intelligence spatiale : Aider les élèves à confronter des croyances tacites relatives à l'art. Par exemple, le préjugé selon lequel l'artiste-peintre ne devrait utiliser que des couleurs agréables et représenter seulement de belles scènes et des gens attirants (ex. : montrer le tableau *Guernica*, de Picasso, qui ne possède pas ces caractéristiques).

Intelligence kinesthésique : Amener les élèves au-delà des moyens stéréotypés d'utiliser leur corps pour exprimer certains sentiments ou certaines idées par la danse ou le jeu (ex. : aider les élèves à explorer les nombreuses postures corporelles et expressions faciales pour exprimer le sentiment de défaite de Willy Loman dans la pièce *Mort d'un commis voyageur*, d'Arthur Miller).

Intelligence musicale : Aider les élèves à défaire les stéréotypes selon lesquels la bonne musique doit être harmonieuse et avoir un rythme régulier (ex. : faire jouer le *Sacre du Printemps* de Stravinski — une œuvre qui a causé une émeute la première fois qu'elle a été jouée, parce qu'elle ne correspondait pas à ce que les auditeurs considéraient comme de la « bonne musique »).

Intelligence interpersonnelle : Aider les élèves à dépasser les premières motivations qui incitent à l'action les personnages fictifs ou réels, dans la littérature, l'histoire ou d'autres domaines (ex. : aider les élèves à comprendre que l'impulsion de Holden Caulfield dans *Catcher in the Rye* impliquait davantage que le désir d'une « nuit en ville », ou que l'ascension au pouvoir d'Adolf Hitler était motivée par autre chose que la simple « soif du pouvoir »).

Intelligence intrapersonnelle : Favoriser chez les élèves une compréhension de plus en plus profonde d'eux-mêmes en établissant un lien entre les différentes parties du programme d'enseignement et leurs propres expériences de vie ou leur histoire personnelle (ex. : demander aux élèves de penser à ce « Huck Finn » ou à cette « Laura Ingalls Wilder » qui sommeille en eux).

On doit considérer la théorie des intelligences multiples comme plus qu'un simple moyen par lequel les élèves apprécient et commencent à activer leurs nombreuses façons de connaître. Les enseignants doivent aider les élèves à développer des niveaux élevés de compréhension à travers leurs intelligences multiples. En s'assurant que les expériences à la « Christophe Colomb » font régulièrement partie de la journée scolaire (dans chaque intelligence), les enseignants peuvent faire en sorte que l'esprit non instruit se transforme en une force puissante et créative.

La théorie des IM et la taxonomie cognitive de Bloom

Il y a quarante ans, un professeur de l'université de Chicago, Benjamin S. Bloom (1956), a développé sa célèbre « taxonomie des objectifs pédagogiques ». Cette enquête portant sur le domaine cognitif et les six niveaux de complexité identifiés, ont servi de référence aux enseignants pour s'assurer que l'instruction stimulait et développait les habiletés de pensée d'ordre supérieur des élèves durant les quatre dernières décennies. Ces six niveaux sont :

- *Connaissance :* capacité de mémoriser par cœur (connaissance des faits, des termes, des procédures, des systèmes de classement).
- *Compréhension :* capacité de traduire, de paraphraser, d'interpréter ou d'extrapoler la matière.
- *Application :* capacité de transférer la connaissance d'un environnement à un autre.
- *Analyse :* capacité de découvrir et de distinguer les parties d'un tout.
- *Synthèse :* capacité de lier des éléments dans un tout cohérent.
- *Évaluation :* capacité de juger la valeur ou l'utilité d'un renseignement selon un ensemble de normes.

La taxonomie de Bloom peut servir d'outils pour analyser l'impact intellectuel d'une approche d'enseignement à IM sur les élèves. Il serait facile de concevoir des méthodes pédagogiques à IM qui seraient irrésistibles (à cause du large éventail des intelligences touchées), mais dont l'apprentissage resterait au niveau connaissance ou brute de la complexité cognitive. Les activités à IM pour enseigner l'orthographe, les tables de multiplication ou les faits historiques sont les exemples parfaits de la théorie des IM au service des compétences cognitives de bas niveau. Cependant, les programmes d'enseignement à IM peuvent toucher tous les

TABLEAU 12.1

Théorie des IM et taxonomie de Bloom

Unité d'étude sur l'écologie : environnement local — les arbres de votre voisinage

	Connaissance	Compréhension	Application	Analyse	Synthèse	Évaluation
			Les six niveaux d'objectifs pédagogiques de Bloom			
Intelligence linguistique	Mémoriser les noms des arbres.	Expliquer comment les arbres reçoivent leurs nutriments.	À partir d'une description de maladie, tenter de trouver la cause de la maladie d'un arbre.	Énumérer les parties d'un arbre.	Expliquer comment un arbre vit dans un éco-système.	Évaluer différentes méthodes de contrôle de la croissance des arbres.
Intelligence logico-mathématique	Mémoriser le nombre de pointes sur les feuilles de certains arbres.	Convertir la taille des arbres du système anglais au système métrique.	Selon la taille d'un petit arbre, estimer la taille d'un grand arbre.	Analyser les substances trouvées dans la sève d'un arbre.	Selon la température, le sol et d'autres renseignements, tracer le cycle de croissance d'un arbre.	Évaluer différents types de nutriments des arbres en se basant sur certaines données.
Intelligence spatiale	Mémoriser les configurations de base de certains arbres.	Examiner des diagrammes d'arbres et indiquer à quelle étape de leur croissance ils sont.	À partir de principes géométriques, évaluer la taille d'un arbre.	Dessiner la structure cellulaire de la racine d'un arbre.	Créer un plan paysager où des arbres sont utilisés comme éléments centraux.	Évaluer la faisabilité des différents plans d'aménagement paysager.
Intelligence kinesthésique	Identifier un arbre par la texture de son écorce.	Identifier les graines d'un ensemble de fruits d'arbres.	Trouver un endroit idéal pour planter un arbre indigène.	Former les différentes parties de l'arbre dans de la glaise.	Rassembler tout le matériel nécessaire pour planter un arbre.	Évaluer la qualité de différents types de fruits.
Intelligence musicale	Mémoriser des chansons qui parlent des arbres.	Expliquer comment les vieilles chansons sur les arbres ont été créées.	Modifier les paroles d'une vieille chanson sur les arbres pour la mettre au goût du jour.	Classer des chansons par sujets et périodes historiques.	Composer sa propre chanson sur les arbres selon les renseignements vus dans cette unité d'étude.	Classer les chansons de la meilleure à la moins bonne et justifier ses choix.
Intelligence interpersonnelle	Enregistrer les réponses à la question « Quel est votre arbre préféré ? ».	Déterminer l'arbre le plus populaire dans la classe en interrogeant les pairs.	Utiliser les résultats d'un sondage pour décider du verger qui fera l'objet d'une visite.	Diviser les enfants en groupes selon leur arbre préféré.	Organiser une visite dans un verger en prenant contact avec les personnes appropriées.	Classer trois façons de demander aux autres leur préférence en matière d'arbres.
Intelligence intrapersonnelle	Se souvenir d'une occasion où l'on a grimpé à un arbre.	Partager le sentiment général éprouvé en haut d'un arbre.	Établir des « règles » pour grimper aux arbres » selon son expérience personnelle.	Diviser votre expérience en trois parties : « commencement », « milieu » et « fin ».	Planifier une expédition d'ascension dans les arbres basée sur son expérience personnelle.	Expliquer ce que l'on aime « le plus » et « le moins » de l'expérience.

niveaux de la complexité cognitive de Bloom. Le programme d'enseignement présenté au tableau 12.1 illustre comment on peut concevoir des
techniques qui s'adressent aux sept intelligences aussi bien qu'aux six
niveaux de la taxonomie de Bloom.

Il n'est pas nécessaire d'inclure toutes ces tâches dans une unité
d'étude. En fait, on peut d'abord concevoir un programme thématique,
sans référence à la théorie des IM ni à la taxonomie de Bloom, et simplement utiliser le modèle du tableau 12.1 comme une carte routière pour rester dans la bonne voie et s'assurer de toucher à un certain nombre
d'intelligences et de niveaux cognitifs. Par exemple, il se peut qu'après
référence au tableau IM/Bloom, on réalise qu'une unité d'études ne présente pas certaines expériences musicales qu'on pourrait facilement intégrer, ou encore qu'il n'y a pas de période d'autoévaluation prévue pour les
élèves — ces lacunes peuvent facilement êtres comblées. La théorie des
IM permet de passer outre les activités fortement linguistiques mais de
niveau cognitif inférieur (ex. : les feuilles d'activités) et d'appliquer ainsi
un bon nombre de tâches cognitives qui préparent les élèves pour la vie.

Pour une étude plus approfondie

1. Écrire dix ou quinze mots au tableau (des mots qui sont au niveau de
   compréhension des élèves) puis accorder cinq minutes à la classe pour
   les mémoriser. Recouvrer ensuite les mots et inviter les élèves à les
   écrire de mémoire (dans n'importe quel ordre). Faire un retour sur
   l'activité en invitant les élèves à faire part des stratégies utilisées pour
   mémoriser les mots. Leur enseigner ensuite des techniques mnémoniques utilisant plusieurs intelligences :

   - *Linguistique :* relier les mots ensemble dans une histoire intelligible.
   - *Spatiale :* visualiser le déroulement de l'histoire.
   - *Musicale :* chanter l'histoire sur un air connu ou sur un air composé
     par la classe.
   - *Kinesthésique/interpersonnelle :* interpréter l'histoire, en mettant
     l'accent sur les mouvements du corps liés à chacun des mots.
   - *Intrapersonnelle :* associer des expériences personnelles (et les
     émotions qui les accompagnent) à chaque mot.

   Reprendre l'activité en utilisant d'autres mots, puis demander aux
   élèves d'écrire cette liste de mémoire. Discuter ensuite de ce qui était
   différent cette fois en amenant les élèves à parler des stratégies qui
   semblaient mieux leur convenir. Après avoir utilisé cette méthode avec
   deux ou trois listes, proposer aux élèves d'utiliser ces techniques

mnémoniques pour retenir la matière enseignée dans les différents domaines (ex. : faits historiques, orthographe, vocabulaire, etc.).

2. Demander aux élèves de répondre à une énigme ou à un problème logico-mathématique mettant en jeu des processus de réflexion de niveau supérieur. Les informer qu'ils peuvent travailler en équipe, se déplacer, demander des ressources, etc. Accorder de dix à quinze minutes pour permettre aux élèves d'utiliser les stratégies qu'ils désirent. Inviter ensuite les élèves à discuter des stratégies ou des méthodes de résolution de problèmes utilisées, puis les noter au tableau. Une fois que chacun a eu la chance de partager ses méthodes, revoir la liste des stratégies puis dégager les intelligences utilisées. Demander aux élèves : « Y a-t-il des stratégies qui réussissent mieux que d'autres ? Y a-t-il des stratégies ou des méthodes qui sont plus *amusantes* que d'autres ? »

    Refaire l'activité avec d'autres types de problèmes. Conserver une liste des stratégies de résolution de problèmes classées selon la principale intelligence en jeu puis l'afficher pour permettre aux élèves de la consulter toute l'année afin de se guider dans leurs habitudes d'étude.

3. Concevoir une leçon thématique ou en prendre une déjà préparée, puis noter les intelligences et les niveaux de complexité cognitive mis en jeu par ses activités. Dresser une liste d'activités supplémentaires qui pourraient améliorer l'ampleur intellectuelle et la profondeur cognitive de la leçon.

4. Pour les matières de votre programme d'enseignement, créer des expériences à la « Christophe Colomb » qui élargiront l'esprit des élèves, remettront en question des croyances existantes et porteront les intelligences multiples des élèves à de plus hauts niveaux de fonctionnement.

13 Autres applications de la théorie des intelligences multiples

> Actuellement, la notion d'écoles dédiées aux intelligences multiples en est toujours à ses balbutiements et, dans ce domaine, il y a autant de recettes possibles qu'il y a de chefs. J'espère que dans les vingt prochaines années, de nombreux efforts seront faits dans le but de concevoir une éducation qui tiendra sérieusement compte des intelligences multiples. Si tel est le cas, nous serons dès lors en mesure de savoir lesquelles de ces « pensées » et de ces « expériences pratiques » auront un sens et lesquelles se révéleront impraticables ou peu judicieuses. [Traduction libre]
>
> — Howard Gardner (1993)

EN PLUS DES DOMAINES COUVERTS DANS les chapitres précédents, il y a beaucoup d'autres applications possibles de la théorie des IM en éducation. Trois d'entre elles méritent d'être mentionnées, à savoir la technologie informatique, la diversité culturelle et l'orientation professionnelle. Dans chacun de ces cas, la théorie des IM fournit un contexte où les connaissances et les ressources existantes peuvent être élargies pour couvrir un horizon plus vaste qui permettra, en retour, aux enseignants d'acquérir du matériel et des stratégies d'enseignement mieux adaptés aux besoins d'une population scolaire plus hétérogène.

Technologie informatique

À première vue, les gens ont tendance à associer les ordinateurs à l'intelligence logico-mathématique, en grande partie à cause de l'image stéréotypée des « cracks de l'informatique » qui travaillent sur des chiffriers ou s'acharnent sur des langages de programmation très abstraits. Toutefois, les ordinateurs sont des mécanismes dont l'intelligence est neutre. Ce qui les active, ce sont les logiciels utilisés pour les faire fonctionner, lesquels peuvent être conçus pour relier plusieurs des sept intelligences. Par exemple, le traitement de texte demande à l'utilisateur un certain niveau d'intelligence linguistique. Le logiciel *Draw and Paint*, par contre, sollicite plus souvent l'intelligence spatiale. Le tableau 13.1 dresse une liste des types de logiciels qui activent les intelligences multiples. Dans certains cas, nous avons mis entre parenthèses un exemple de ce produit qu'on trouve sur le marché.

Vous pouvez choisir des logiciels en vous inspirant de la théorie des IM pour vos activités en classe ou en laboratoire informatique. Les liens hypertextes constituent l'application informatique la plus excitante faisant appel aux intelligences multiples. En effet, les nombreuses « cartes » d'un programme stockées sur cédérom permettent de concevoir un projet comprenant du texte (intelligence linguistique), des illustrations (intelligence spatiale), du son (intelligences musicale ou linguistique) et des données vidéo (intelligence kinesthésique et autres). Par exemple, un élève peut concevoir un projet d'apprentissage en horticulture : le programme informatique peut commencer par un texte écrit décrivant les fleurs locales (intelligence linguistique) accompagné de statistiques déterminant les besoins de chaque fleur (intelligence logico-mathématique). En cliquant sur certains mots du texte, comme sur le nom « rose », l'illustration d'une rose peut apparaître (intelligence spatiale) accompagnée d'une chanson qui parle de roses — par exemple, la chanson « L'important, c'est la rose » interprétée par Gilbert Bécaud (intelligence musicale). En cliquant sur certains verbes, par exemple le verbe « planter », on pourrait amorcer une présentation vidéo de l'élève en train de planter une fleur (intelligence kinesthésique).

La conception d'un tel projet multimédia exige beaucoup d'intelligence intrapersonnelle. De plus, si un tel projet est de nature coopérative (comme un projet de jardin communautaire), l'intelligence interpersonnelle entre également en jeu. Une fois terminés, les cédéroms deviennent eux-mêmes des documents d'une valeur importante dans le processus d'apprentissage de l'élève. Ils peuvent servir de «portfolios électroniques » que les enseignants peuvent facilement se transmettre, comme élément de la mesure authentique du travail de l'élève durant l'année. La technologie des disques compacts conçue pour faciliter une telle évaluation est déjà disponible (*Voir The Grady Profile, offert chez* Aurbach and Associates, Inc., *8233 Tulane Ave., St. Louis, MO 63132, et Campbell, 1992.*)

TABLEAU 13.1

Logiciels qui activent les intelligences multiples[1]

Intelligence linguistique
- traitement de texte (*WordPerfect*) Au maximum
- méthode de dactylo (*Mavis Beacon Teaches Typing*!)
- programme d'édition **Ribambelle**, *HyperPage*
- bibliothèques électroniques (*World Library*)
- livres d'histoires interactifs *Machinamot*, **Merlin**, **L'ardoise électronique**
- jeux de vocabulaire **Mes premiers mots**, **Virgule**, **Benjamin joue avec les mots**
- apprentissage des langues (Imagies)

Intelligence logico-mathématique
- formation en mathématiques **L'animé**, *Cybergéomètre*
- méthode de programmation informatique (*LOGO*)
- jeux de logique **Au rythme des saisons**
- programmes scientifiques **Plumo au zoo**, **Math Monde**
- programmes de pensée critique *Envol mathématique*
- découverte des sciences — *Biômes et cycles naturels*, *Les papillons monarques*, *CD Scientifix*, *Québec Science*

Intelligence spatiale
- programmes d'animation (*Art and Film Director*)
- programmes de conception graphique (*Dazzle Draw*)
- jeux d'échecs électroniques (*Chessmaster*)
- jeux d'agencement spatial (*Tetris*) **Orientation spatiale**, Ville magique
- ensembles de casse-tête électroniques (*Living Jigsaws*)
- programmes de *Clip-Art* (*The New Print Shop*)
- programmes de géométrie *Expert en géométrie*, **Figures géométriques**
- présentation graphique du savoir (*World GeoGraph*) *GraphTab*

Intelligence kinesthésique
- ensembles de jeux de construction reliés à des ordinateurs (*LEGO à LOGO*)
- jeux de simulation de mouvement (*Flight Simulator*) *Eole Météo*, Comment ça marche ?
- logiciel de réalité virtuelle (*Dactyl Nightmare*) **Bactolab**, *Eole Météo*
- outils qui se branchent à un ordinateur (*Science Toolkit*)
- découverte du corps — **Polichinelle**, **Venir au monde**

Intelligence musicale
- formation en littérature musicale *Solfé Art*
- logiciel de chant [transforme la voix en sons de synthétiseur] **Il était une chanson**, **Le carnaval des animaux**
- logiciel de composition (*Music Studio*)
- programmes de reconnaissance des notes et de mémoire des mélodies **Les Popul'airs**
- interfaces digitales pour instruments de musique (*Music Quest MIDI Starter System*)

Intelligence interpersonnelle
- bulletins électroniques (*Kidsnet*)
- jeux de stimulation (*Sim City*)

Intelligence intrapersonnelle
- logiciel de choix personnels (*Decisions, Decisions*)
- logiciel d'orientation professionnelle *Choix*, *Découverte*
- tout programme suivant le rythme de l'utilisateur (*la plupart des programmes nommés ci-dessus*)

(1) Les titres français inscrits en caractères gras s'adressent aux jeunes du premier cycle du primaire et ceux en italique, aux jeunes du deuxième cycle du primaire et du secondaire.

Diversité culturelle

Les grands changements démographiques qui ont touché les systèmes éducatifs américain, canadien et québécois, au cours des deux décennies, ont fait en sorte que la population scolaire y est plus diversifiée que jamais sur les plans racial, ethnique et culturel. Une telle diversité représente un réel défi pour les enseignants lorsqu'il s'agit de concevoir des programmes d'enseignement qui tiennent compte non seulement des différences culturelles au chapitre du contenu (ex. : exposer les élèves aux croyances, aux milieux et aux fondements des différentes cultures), mais également au chapitre du processus (ex. : aider les élèves à comprendre les différents modes d'apprentissage que possèdent les diverses cultures). La théorie des IM fournit un modèle tenant compte de ces différences. Ainsi, elle fournit aux enseignants un bon outil pour souligner les différentes façons de penser de chaque culture.

Selon la théorie des IM, une forme d'intelligence doit être valorisée pour un groupe culturel, pour que ce dernier la considère comme une intelligence. Ce critère disqualifie automatiquement de nombreuses tâches traditionnellement associées aux tests d'intelligence à l'école. Par exemple, répéter des chiffres désordonnés dans un certain ordre puis dans l'ordre inverse est une épreuve que l'on retrouve dans certains tests d'intelligence, même si cette prouesse n'est particulièrement valorisée dans aucune culture. Dans aucune culture au monde, les anciens ne transmettent des chiffres désordonnés aux générations plus jeunes. Ce que les cultures transmettent aux plus jeunes, ce sont plutôt les histoires, les mythes, le grand art et la musique, les découvertes scientifiques, les mœurs sociales, les institutions politiques et les systèmes numériques, à titre de modèles de réussite et de performances exceptionnelles.

Toutes les cultures du monde possèdent et utilisent les sept intelligences de la théorie des IM. Cependant, la façon dont elles procèdent ainsi que la manière par laquelle chaque intelligence est valorisée varient considérablement de l'une à l'autre. Une personne qui grandit dans la culture puluwat dans les îles des mers du Sud, par exemple, pourrait découvrir que l'intelligence spatiale y est très prisée à cause de son utilité en navigation marine (*Voir Gladwin, 1970.*) Les peuples puluwats vivent sur plusieurs centaines d'îles, et la capacité de se déplacer facilement d'une île à l'autre a une grande valeur culturelle. Très jeunes, les enfants apprennent à reconnaître les constellations, les différentes « bosses » (îles) à l'horizon et les différentes textures à la surface de l'eau qui donnent des renseignements géographiques importants. Le chef navigateur dans cette société a plus de prestige que les chefs politiques.

Dans certaines cultures, l'intelligence musicale est une habileté considérée comme universelle plutôt que l'apanage d'une d'élite. Les enfants qui grandissent parmi les Anangs, au Niger, doivent apprendre des centaines de danses et de chansons avant d'atteindre l'âge de 5 ans. En Hongrie, à cause de l'influence pionnière du compositeur Zoltan Kodaly sur l'éducation, les élèves sont exposés quotidiennement à la musique et doivent apprendre à lire la musique. Il y a aussi des cultures qui mettent davantage l'accent sur les relations entre les gens (intelligence interpersonnelle) plutôt que sur la personne allant seule son chemin (intelligence intrapersonnelle) (*Voir Gardner 1983*).

Il est toutefois important de répéter que chaque culture possède et utilise les sept intelligences. Ce serait commettre une grave erreur de faire référence à certains groupes raciaux ou ethniques en les associant à une seule intelligence. L'histoire des tests d'intelligence est remplie de ce type de fanatisme et d'étroitesse d'esprit. (*Voir Gould, 1981.*) L'utilisation sans discernement de la théorie des IM dans les discussions sur les différences culturelles peut facilement raviver de vieux stéréotypes raciaux (ex. : « les Noirs sont musicaux » et « les Asiatiques sont logiques »). Le tableau 1.1 au début du présent ouvrage présente des exemples sur la façon dont les groupes culturels valorisent chacune des sept intelligences.

Ce large éventail offre un contexte intéressant pour explorer, en milieu scolaire, l'énorme diversité d'expressions des différentes cultures dans chacune des sept intelligences. Vous pourriez organiser des foires multiculturelles/multiintelligences à l'école pour célébrer ces différences ou encore créer des programmes d'enseignement qui intègrent la théorie des IM dans des unités d'étude multiculturelles. De plus, vous pouvez présenter la théorie des IM aux élèves par le biais de personnages célèbres issus de différentes cultures et qui ont accompli des performances exceptionnelles, dans l'une ou l'autre des sept intelligences. (*Voir le tableau 13.2 pour des exemples.*)

Orientation professionnelle

La théorie des IM met l'accent sur les nombreuses façons de gagner notre vie, à l'âge adulte ; elle devient aussi un véhicule pour aider les jeunes à développer des vocations. Lorsque les élèves peuvent rencontrer, en très bas âge, des adultes démontrant dans leur vie des compétences parmi les sept intelligences, ils ont alors un grand répertoire de références lorsque vient le temps de choisir une carrière, au sortir de l'école. Dès le primaire, il est souhaitable que des adultes viennent parler de leur travail aux élèves et que ceux-ci aillent eux-mêmes visiter des adultes, sur leur lieu de travail.

TABLEAU 13.2

Personnes célèbres issues de minorités culturelles

	Afro-Américain	Américain d'origine asiatique	Latino-Américain	Amérindien
Intelligence linguistique élevée	Toni Morrison	Amy Tan	Isabel Allende	Vine de Loria
Intelligence logico-mathématique élevée	George Washington Carver	Yuan Lee	Luis Alvarez	Robert Whitman
Intelligence spatiale élevée	Spike Lee	I.M. Pei	Frida Kahlo	Oscar Howe
Intelligence kinesthésique élevée	Jackie Joyner-Kersee	Kristi Yamaguchi	Juan Marichal	Jim Thorpe
Intelligence musicale élevée	Scott Joplin	Midori	Linda Ronstadt	Buffy Sainte Marie
Intelligence interpersonnelle élevée	Martin Luther King, fils	Daniel K. Inouye	Xavier L. Suarez	Russell Means
Intelligence intrapersonnelle élevée	Malcolm X	S.I. Hayakawa	Caesar Chavez	Black Elk

Il est toutefois important que les enseignants *n*'essaient *pas* d'associer les inclinations des enfants à des carrières spécifiques trop tôt dans leur développement. Ce type de visite permet aux élèves de voir le spectre des professions associées à chacune des sept intelligences et de commencer à se faire une opinion sur ce qui leur convient ou non. Également, il peut être avantageux pour les élèves de discuter périodiquement de « ce qu'ils voudraient faire plus tard » et d'intégrer à ces discussions le vocabulaire des IM pour aider les élèves à formuler leurs aspirations.

Au secondaire, les élèves peuvent participer à un processus continu d'auto-évaluation pour déterminer quelle carrière convient le mieux à leur tempérament et à leurs connaissances (les outils d'autoévaluation des IM peuvent servir dans ce processus). Voici une liste d'occupations classées selon l'intelligence principale qui les caractérise :

• **Intelligence linguistique :** bibliothécaire, archiviste, conservateur, orthophoniste, écrivain, animatrice de radio ou de télévision, journaliste, conseiller juridique, avocate, secrétaire, dactylo, réviseure, professeur de français.

• **Intelligence logico-mathématique :** expert-comptable, comptable, acheteur, assureur, mathématicienne, scientifique, statisticien, actuaire, programmeure analyste, économiste, technicien, professeure de science.

• **Intelligence spatiale :** ingénieur, arpenteuse géomètre, architecte, urbaniste, artiste graphique, décorateur d'intérieur, photographe, professeure d'art, inventeur, cartographe, pilote, peintre, sculpteure.

• **Intelligence kinesthésique :** physiothérapeute, technicienne en loisirs, danseuse, acteur, fermier, mécanicienne, charpentier, artisan, professeur d'éducation physique, ouvrière, chorégraphe, athlète, garde forestier, bijoutière.

• **Intelligence musicale :** disque-jockey, musicienne, luthier, accordeur de pianos, musico-thérapeute, vendeuse d'instruments de musique, parolier de chansons, ingénieur du son, directrice de chorale, chef d'orchestre, chanteur, professeur de musique, compositrice.

• **Intelligence interpersonnelle :** administrateur, gérante, directeur d'école, spécialiste en ressources humaines, arbitre, sociologue, anthropologue, conseillère, psychologue, infirmier, responsable des relations publiques, vendeur, agente de voyage, travailleur social.

• **Intelligence intrapersonnelle :** psychologue, membre du clergé, professeure de psychologie, thérapeute, conseiller, théologienne, planificateur de programmes, entrepreneur.

Bien sûr, presque chaque emploi comporte des fonctions faisant appel à plusieurs intelligences. Par exemple, les administrateurs d'école doivent posséder une intelligence interpersonnelle pour faciliter leurs relations avec les enseignants, les parents, les élèves et les gens de la communauté, mais ils doivent également avoir des compétences logico-mathématiques pour planifier des budgets et des horaires, des habiletés linguistiques pour rédiger des soumissions et des autorisations ou pour bien communiquer. De plus, une bonne intelligence intrapersonnelle leur permet d'avoir confiance en leurs décisions. Il peut donc être utile d'aborder avec les élèves du secondaire la multiplicité des intelligences requises dans chaque type de travail.

Pour une étude plus approfondie

1. Faire une liste des logiciels de la classe ou de l'école en notant à quelles intelligences ils font appel et quelles sont celles qui sont peu ou pas représentées. À partir de catalogues d'entreprises offrant des logiciels éducatifs, dresser la liste des programmes qui pourraient être achetés pour couvrir davantage d'intelligences, en vous assurant que la classe possède au moins un logiciel par intelligence. Étiqueter ensuite les programmes disponibles, selon les intelligences qui y sont développées, et encourager les élèves à explorer différents programmes durant les activités optionnelles.

2. Développer une expertise dans l'utilisation des logiciels hypertextes et multimédias. Utiliser ensuite ces ressources pour aider les élèves à concevoir des projets spéciaux ou des « portfolios électroniques » à des fins d'évaluation.

3. Planifier une séance multiculturelle/intelligences multiples pour la classe. Dans le cadre d'une communauté diversifiée, vous concentrer sur les cultures représentées par les élèves de la classe ou de l'école. Au cours de cette séance, explorer comment les différentes cultures s'expriment à travers les sept intelligences, en examinant les traditions orales et écrites, les systèmes numériques ou les sciences, la musique, l'art, la danse, les sports, les systèmes politiques et sociaux, ainsi que les traditions religieuses et les mythes.

4. Planifier une séance d'enseignement portant sur l'orientation professionnelle des visites sur le terrain et des visites des parents pour les élèves du primaire ; des autoévaluations et des études de carrières pour les élèves du secondaire.

5. Quelles sont les applications pédagogiques de la théorie des IM qui n'ont pas été mentionnées dans ce livre ? Comment pourraient-elles être développées ? Sélectionner un domaine non exploré qui semble particulièrement intéressant et concevoir une application pratique et originale dans votre classe ou votre école.

Références

Armstrong, M. (1980). *Closely Observed Children.* Londres : Writers and Readers.

Armstrong, T. (1987a). « Describing Strengths in Children Identified as " Learning Disabled " Using Howard Gardner's Theory of Multiple Intelligences as an Organizing Frame-work. *Dissertation Abstracts International* 48, 08A. (University Macrofilms No, 87-25, 844)

Armstrong, T. (1987b). *In Their Own Way : Discovering and Encouraging Your Child's Personal Learning Style.* New York : Tarcher/Putnam. Une bonne introduction aux intelligences multiples destinée aux parents et aux enseignants.

Armstrong, T. (1988). « Learning Differences – Not Disabilities. » *Principal* 68, 1 :34–36.

Armstrong, T. (1993). *Kinds of Smart.* New York : Plume/Penguin. Le premier ouvrage sur les intelligences multiples qui s'adresse au grand public ; il comprend des exercices pratiques et des questionnaires.

Bloom, B. (1956). *Taxonomy of Educational Objectives.* New York : David McKay.

Bonny, H., et L. Savary (1990). *Music and Your Mind.* Barrytown, N.Y. : Station Hill Press.

Campbell, J. (Mai 1992). « Laser Disk Portfolios : Total Child Assessment. » *Educational Leadership* 49, 8 : 69–70.

Campbell, Linda, Bruce Campbell et Dee Dickinson. (1993). *Teaching and Learning Through Multiple Intelligences.* Tucson, Ariz. : Zephyr Press. Comprend une riche sélection de stratégies d'enseignement visant les cinq intelligences les plus négligées (musicale, spatiale, kinesthésique, interpersonnelle et intrapersonnelle).

Carini, P. (1977). *The Art of Seeing and the Visibility of the Person.* Grand Forks, N.D. : North Dakota Study Group on Evaluation (Center for Teaching and Learning, University of North Dakota, Grand Forks, N.D. 58202).

Caro, R. (1990). *Means of Ascent.* New York : Knopf.

Clark, R. W. (1972). *Einstein : The Life and Times.* New York : Avon.

Cohen, D. L. (15 juin 1991). « Flow Room, Testing Psychologist's Concept, Introduces " Learning in Disguise ". at Key School. » *Education Week*, pp. 6–7.

Csikszentmihalyi, M. (1990). *Flow : The Psychology of Optimal Experience.* New York : Harper & Row.

Dreikurs, R. et V. Soltz. (1964). *Children : The Challenge.* New York : Hawthorn.

Edwards, B. (1979). *Drawing on the Right Side of the Brain.* Los Angeles : Jeremy P. Tarcher.

Engel, B. S. (1979). *Informal Evaluation*. Grank Forks, N.D. : North Dakota Study Group on Evaluation (Center for Teaching and Learning, University of North Dakota, Grand Forks, N.D. 58202).

Faggella, Kathy et Janet Horowitz. (Septembre 1990). « Different Child, Different Style. » *Instructor* 100, 2 : 49–54. Un excellent article décrivant les approches pédagogiques pour l'application de la théorie des IM.

Feldman, D. H. (1980). *Beyond Universals in Cognitive Development*. Norwood, N.J. : Ablex.

Fiske, E. B. (11 janvier 1987). « U.S. Pupils Lag in Math Ability, 3 Studies Find. » *The New York Times*, pp. A1, A17–A18.

Fiske, E. B. (24 mai 1988). « In Indiana, Public School Makes " Frills " Standard. » *The New York Times,* pp. A16–A17.

Fiske, E. B. (8 juin 1988). « Schools' " Back-to-Basics " Drive Found to Be Working in Math. » *The New York Times,* pp. A1, A28.

Fleming, E. (1984). *Believe the Heart : Our Dyslexic Days*. San Francisco, Calif. : Strawberry Hill Press.

Gardner, H. (Mars 1979). « The Child Is Father to the Metaphor. » *Psychology Today* 12, 10 : 81–91.

Gardner, H. (Mai 1987). « Beyond IQ : Education and Human Development. » *Harvard Educational Review* 57, 2 : 187–193.

Gardner, H. (1991a) *The Unschooled Mind*. New York : Basic Books.

Gardner, Howard. (1991b). *To Open Minds*. New York : Basic Books. Cet ouvrage nous renseigne sur les origines de la théorie des IM.

Gardner, H. (1993a). *Multiple Intelligences : The Theory in Practice*. New York : Basic Books. Un livre réunissant plusieurs articles publiés par Gardner et ses associés et traitant de l'évolution de la théorie des IM et de la pensée qu'elle soustend. On y retrouve une bibliographie exhaustive sur le sujet des IM, de même qu'une liste de noms des consultants oeuvrant dans ce domaine.

Gardner, H. (1993b). *Creating Minds*. New York : Basic Books.

Gardner, H. (1997). *Les formes de l'intelligence*. Paris : Éditions Odile Jacob. Voici la « bible » des praticiens de la théorie des intelligences multiples.

Gardner, Howard et Thomas Hatch. (Novembre et décembre 1988). « New Research on Intelligence. » *Learning* 17, 4 : 37–39. Excellent article de présentation pour les enseignants qui découvrent la théorie des IM. À laisser dans la salle des professeurs.

Gardner, Howard et Thomas Hatch. (Novembre 1989). « Multiple Intelligences Go to School. » *Educational Research* 18, 8 : 4–10. Regroupe les résultats de recherches intéressantes menées dans les écoles et portant sur les IM.

Gentile, J. R. (1988). *Instructional Improvement : Summary and Analysis of Madeline Hunter's Essential Elements of Instruction and Supervision*. Oxford, Ohio : National Staff Development Council.

Ghiselin, B. (1955). *The Creative Process*. New York : Mentor.

Gladwin, T. (1970). *East Is a Big Bird : Navigation and Logic on Puluwat Atoll*. Cambridge, Mass. : Harvard University Press.

Goodlad, J. I. (1984). *A Place Called School : Prospects for the Future*. New York : McGraw-Hill.

Goodman, J. et M. Weinstein. (1980). *Playfair : Everybody's Guide to Noncompetitive Play*. San Luis Obispo, Calif. : Impact.

Gordon, W. J. J. et T. Poze. (1966). *The Metaphorical Way of Learning and Knowing*. Cambridge, Mass. : Porpoise.

Gould, S. J. (1981). *The Mismeasure of Man.* New York : W. W. Norton.

Gruber, H. (1977). « Darwin's " Tree of Nature " and Other Images of Wide Scope. » dans *On Aesthetics in Science,* publié par J. Wechsler. Cambridge, Mass. : MIT Press.

Hart, L. (Mars 1981). « Don't Teach Them ; Help Them Learn. » *Learning* 9, 8 : 39–40.

Harman, W. et H. Rheingold. (1984). *Higher Creativity : Liberating the Unconscious for Breakthrough Insights.* Los Angeles : Jeremy P. Tarcher.

Herman, J L., P. R. Aschbacher et L. Winters. (1992). *A Practical Guide to Alternative Assessment.* Alexandria, Va. : ASCD.

Holden, C. (8 juin 1979). « Paul MacLean and the Triune Brain. » *Science* 204 : 1068.

Illingworth, R. S. et C. M. Illingworth. (1966). *Lessons from Childhood : Some Aspects of the Early Life of Unusual Men and Women.* Londres : Livingstone.

Johnson, D., R. Johnson, P. Roy et E. Holubec (1984). *Circles of Learning : Cooperation in the Classroom.* Alexandria, Va. : ASCD.

John-Steiner, V. (1987). *Notebooks of the Mind : Explorations of Thinking.* New York : Harper and Row.

Kline, Peter. (1988). *The Everyday Genius.* Arlington, Va. : Great Ocean. Cet ouvrage porte surtout sur les stratégies d'apprentissage accéléré mais la théorie des IM y occupe une place importante.

Kovalik, S. (1993). *ITI : The Model—Integrated Thematic Instruction.* 2e éd. Village de Oak Creek, Ariz. : Books for Educators. Bien que le sujet principal soit l'enseignement thématique intégré, une partie de l'ouvrage porte sur la composition d'éléments thématiques basée sur la théorie des IM.

Lazear, David. (1991a). *Seven Ways of Knowing : Teaching for Multiple Intelligences.* Palatine, Ill. : Skylight. Cette introduction à la théorie des IM, faite sur un ton amical, suggère aux enseignants de nombreuses activités visant l'éveil et le développement des intelligences.

Lazear, David. (1991b). *Seven Ways of Teaching : The Artistry of Teaching with Multiple Intelligences.* Palatine, Ill. : Skylight. Cet ouvrage offre sept plans de cours détaillés et chacun des chapitres est consacré à l'enseignement d'une matière scolaire par le biais d'une des sept intelligences (ex. enseigner la géométrie en faisant appel à l'intelligence kinesthétique corporelle).

Lazear, David. (1993). *Seven Pathways of Learning : Teaching Students and Parents about Multiple Intelligences.* Tucson, Ariz. : Zephyr Press. Comprend du matériel reproductible pour l'enseignement des IM.

Lazear, David. (1994). *Multiple Intelligences Approaches to Assessment : Solving the Assessment Conundrum.* Tucson, Ariz. : Zephyr Press. Suggestions pour la création d'outils en IM – profil des étudiants, portfolios, journaux de bord, questionnaires et tests basés sur les multiples modes de perception.

McCoy, L. E. (1975). « Braille : A Language for Severe Dyslexics. » *Journal of Learning Disabilities* 8, 5 : 34.

McKim, R. H. (1980). *Experiences in Visual Thinking.* 2e éd. Boston : PW Engineering.

Marzano, R. J., R. S. Brandt, C. S. Hughes, B. F. Jones, B. Z. Presseisen et S. C. Rankin. (1988). *Dimensions of Thinking : A Framework for Curriculum and Instruction.* Va. : ASCD.

Margulies, N. (1991). *Mapping Inner Space : Learning and Teaching Mind Mapping.* Tucson, Ariz. : Zephyr Press.

Miller, A. (1981). *The Drama of the Gifted Child.* New York : Basic Books.

Montessori, M. (1972). *The Secret of Childhood.* New York : Ballantine.

Olson, L. (27 janvier 1988). « Children " Flourish " Here : 8 Teachers and a Theory Changed a School World. » *Education Week* VII, 18 : 1, 18—19.

Ostrander, S., et L. Schroeder. (1979). *Superlearning.* New York : Delta.

Paul. R. (1992). *Critical Thinking : What Every Person Needs to Survive in a Rapidly Changing World.* Santa Rosa, Calif. : Foundation for Critical Thinking.

Perkins, D. N. (1981). *The Mind's Best Work.* Cambridge, Mass. : Harvard University Press.

Platon. (1952). *The Dialogues of Plato.* Chicago : Encyclopedia Britannica.

« Poll Finds Americans Are Ignorant of Science. » (25 octobre 1988). *The New York Times,* p. C10.

Polya, G. (1957). *How to Solve It.* New York : Anchor Books.

Poplin, M. (printemps 1984). « Summary Rationalizations, Apologies and Farewell : What We Don't Know About the Learning Disabled. » *Learning Disability Quarterly* 7, 2 : 133.

Proust, M. (1928). *Swan's Way.* New York : Modern Library.

Rose, C. (1987). *Accelerated Learning.* New York : Dell.

Rosenthal, R. et L. Jacobsen. (1986). *Pygmalion in the Classroom.* New York : Holt, Rinehart and Winston.

Rozin, P., S. Poritsky et R. Sotsky. (26 mars 1971). « American Children with Reading Problems Can Easily Learn to Read English Represented by Chinese Characters. » *Science* 171 : 1264–1267.

Sacks, O. (1990). *Seeing Voices : A Journey into the World of the Deaf,* New York : Harper-Collins.

Spolin, V. (1986). *Theater Games for the Classroom.* Evanston, Ill. : Northwestern University Press.

Stainback, S., W. Stainback et M. Forest, (1989). *Educating All Students in the Mainstream of Regular Education.* Baltimore, Md. : Paul H. Brookes.

Steiner, R. (1964). *The Kingdom of Childhood.* Londres : Rudolf Steiner Press.

Teele, Sue. (1991). *Teaching and Assessment Strategies Appropriate for the Multiple Intelligences.* Riverside, Calif. : University of California Extension.

Thornburg, David. (1989). *The Role of Technology in Teaching to the Whole Child : Multiple Intelligences in the Classroom.* Los Altos, Calif. : Starsong Publications. L'auteur met son expérience de la théorie des IM au service de la technologie.

Viadero, D. (13 mars 1991). « Music and Arts Courses Disappearing from Curriculum, Commission Warns. » *Education Week,* p. 4.

Walters, J. et H. Gardner. (1986). « The Crystallizing Experience : Discovery of an Intellectual Gift. » dans *Conceptions of Giftedness,* publié par R. Sternberg et J. Davidson. New York : Cambridge Univsersity Press.

Wass, Lane Longino. (1991). *Imagine That : Getting Smarter Through Imagery Practice,* Rolling Hills Estate, Calif. : Jalmar Press. La théorie des IM et l'imagerie mentale.

Weinreich-Haste, H. (1985). « The Varieties of Intelligence : An Interview with Howard Gardner. » *New Ideas in Psychology* 3, 4 : 47–65.

Weinstein, C. (1979). « The Physical Environment of the School : A Review of the Research. » *Review of Educational Research* 49, 4 : 585.

Winn, Marie. (29 avril 1990). « New Views of Human Intelligence. » *New York Times Magazine,* pp. 16+. Excellent article de vulgarisation à distribuer aux membres des commissions scolaires.

Wolf, D. P., P. G. LeMahieu et J. Eresh. (Mai 1992). « Good Measure : Assessment as a Tool for Educational Reform. » *Educational Leadership* 49, 8 : 8–13.

ANNEXE A

Exemples de leçons et de programmes conçus suivant la théorie des intelligences multiples

Basés sur la théorie des IM, les exemples de leçons et de programmes proposés sont conçus pour différents niveaux scolaires. Il est à noter que, dans certains cas, la théorie des IM est utilisée comme modèle de base, dans l'élaboration d'un programme d'enseignement (ex. : une liste de lecture au primaire) ; à d'autres moments, l'utilisation de cette théorie se limite au développement d'idées à incorporer à la structure existante du programme d'enseignement. Dans certains cas, l'accent est mis sur le développement de compétences (ex. : apprendre à multiplier par 7) et parfois, davantage sur les concepts (ex. : comprendre la loi de Boyle). Dans toutes les leçons toutefois, nous proposons des activités qui couvrent les sept intelligences, afin d'atteindre les objectifs d'apprentissage.

Exemple 1

Niveau scolaire : Préscolaire
Sujet : Les formes
Objectif : Reconnaître les cercles

Les élèves se familiariseront avec différents types de cercles de la façon suivante (l'intelligence principalement sollicitée est indiquée entre crochets) :

- faire un cercle en se joignant tous les mains [interpersonnelle, kinesthésique] ;
- faire des cercles en utilisant son corps [intrapersonnelle, kinesthésique] ;
- identifier les objects en forme de cercle ;
- incorporer des cercles dans des travaux artistiques [spatiale, kinesthésique] ;

- entonner des chansons ayant le cercle pour thème (incluant des rondes, qui sont elles-mêmes musicalement circulaires) [musicale] ;
- créer des histoires qui parlent de cercles [linguistique] ;
- comparer la taille de cercles (de petit à gros) [spatiale, logico-mathématique].

Exemple 2

Niveau scolaire : Maternelle — 1re année
Sujet : La lecture
Objectif : Développer une attitude positive vis-à-vis les livres
Matériel : Livres qui combinent l'intelligence linguistique avec une ou plusieurs autres intelligences

La bibliothèque de la classe sera remplie des types de livres suivants (l'intelligence principalement sollicitée est indiquée entre crochets) :

- livres avec cassettes-audio [linguistique] ;
- livres comprenant des illustrations en trois dimensions [spatiale] ;
- livres sans texte (histoires en images) [spatiale] ;
- livres avec des textures [kinesthésique] ;
- livres avec cassettes de chansons [musicale] ;
- livres avec clavier électronique et paroles de chansons [musicale] ;
- livres de jeux scientifiques [logico-mathématique] ;
- livres de calcul [logico-mathématique] ;
- livres du type « Me voici » [intrapersonnelle] ;
- livres qui traitent des émotions, comme l'embarras ou la colère [intrapersonnelle] ;
- livres interactifs [interpersonnelle].

Exemple 3

Niveau scolaire : 2e — 3e année
Sujet : Les mathématiques
Objectif : Maîtriser la table de multiplication de 7 et renforcer le concept de multiplication

La classe fera quotidiennement l'une des activités suivantes pendant le cours de mathématiques (l'intelligence principalement sollicitée est indiquée entre crochets) :

- compter jusqu'à 70 en se tenant debout et en frappant des mains à chaque multiple de 7 [kinesthésique] ;

- composer une mélodie et répéter, en chantant, les tables de mutiplications pour le chiffre 7 [musicale] ;

- chanter les nombres de 1 à 70, en mettant un accent spécial sur chaque multiple de 7 [musicale] ;

- créer un tableau numérique, en coloriant chaque multiple de 7 [spatiale] ;

- former des cercles de 10 élèves en attribuant à chaque enfant du cercle un chiffre de 0 à 9. En commençant par le 0, les participants comptent autour du cercle (au deuxième tour, 0 devient 10, 1 devient 11, ainsi de suite ; au troisième tour, 0 devient 20, 1 devient 21, et ainsi de suite). En comptant, les participants font circuler une balle de laine autour du cercle, la déroulant à mesure. La première personne tient le bout du fil de laine ; puis chaque personne dont le nombre correspond à un multiple de 7 tient le fil et fait passer la balle. Au compte de 70, les élèves constateront que le fil de laine a une forme géométrique [spatiale, kinesthésique, interpersonnelle] ;

- créer ses propres formes géométriques basées sur le chiffre 7 sur un tableau géométrique, ou bien en dessinant selon la stratégie qui vient d'être décrite (ex. : utiliser un cercle où apparaissent les chiffres de 0 à 9, puis relier avec une corde ou une ligne les nombres qui correspondent aux multiples de 7 en comptant jusqu'à 70) [spatiale] ;

- écouter une histoire sur les frères Multiple (qui peuvent multiplier les choses en les touchant ; par exemple, quand Sept Multiple touche à 3 poules en or, il en apparaît 21) [linguistique] ;

- faire des dessins avant et après en se basant sur l'histoire des frères Multiple (par exemple, Sept Multiple juste avant qu'il touche les 3 poules en or et juste après les avoir touchées [spatiale].

Exemple 4

Niveau scolaire : Deuxième cycle du primaire
Sujet : L'histoire
Objectif : Comprendre les circonstances qui ont mené à la création du Rhode Island au début de l'histoire des États-Unis

Les élèves participeront quotidiennement à l'une ou plusieurs des activités suivantes pendant le cours d'histoire (l'intelligence principalement sollicitée est indiquée entre crochets] :

- lire des extraits de textes qui donnent les raisons de la fondation du Rhode Island, puis en discuter [linguistique] ;

- concevoir une ligne temporelle des événements entourant la fondation du Rhode Island [logico-mathématique, spatiale] ;

- étudier des cartes géographiques de l'époque coloniale qui illustrent la fondation du Rhode Island [spatiale] ;

- comparer la fondation du Rhode Island à la croissance d'une amibe [spatiale] ;

- jouer les événements entourant la fondation du Rhode Island [kinesthésique, interpersonnelle] ;

- composer une chanson qui décrit les circonstances qui ont mené à la fondation du Rhode Island [musicale] ;

- diviser la classe en groupes qui représentent les différentes colonies ; les groupes sont alors en relation avec un autre groupe représentant le Rhode Island [interpersonnelle, kinesthésique] ;

- faire la relation entre la fondation du Rhode Island et le besoin des élèves de fuir quelquefois l'autorité (ex. : lors de conflits avec les parents ou les enseignants) [intrapersonnelle].

Exemple 5

Niveau scolaire : Premier cycle du secondaire
Sujet : L'algèbre
Objectif : Expliquer la fonction de x dans une équation

- Les élèves écoutent une description verbale de x (x est une inconnue) [linguistique].

- À partir d'une équation (ex. : $2x + 1 = 5$), les élèves apprennent à trouver la valeur de x [logico-mathématique].

- On dit aux élèves que le x est comme un bandit qu'il faut démasquer ; les élèves tirent leurs propres conclusions quant à l'identité de x [spatiale].

- Les élèves jouent une équation algébrique où un ou une élève, qui porte un masque, représente le x. Les autres représentent les nombres ou les fonctions. On désigne un ou une élève pour résoudre l'équation en retirant, par étapes, les élèves des deux côtés de l'équation. Par exemple, dans l'équation $2x + 1 = 5$, on retire un ou une élève du côté gauche et un ou une élève du côté droit, puis on retire la moitié des élèves de la droite et la moitié de la gauche, ce qui révèle que x vaut 2 [interpersonnelle, kinesthésique].

- Les élèves résolvent une équation algébrique en utilisant des objets de manipulation (nombres et fonctions sur une balance dont les deux côtés doivent être en équilibre quand l'équation est résolue) [kinesthésique].

- Les élèves répètent plusieurs fois et de façon rythmée les paroles suivantes :

  x est un mystère
  il faut trouver un moyen
  de l'isoler des autres
  pour qu'il dise son nom.

Les élèves peuvent accompagner leur chant d'instruments de percussion [musicale].

- On demande aux élèves : « Quels sont les mystères — ou les x — dans vos propres vies ? » Discuter de la façon dont les élèves peuvent trouver la valeur de x à l'aide d'éléments de leur vie [intrapersonnelle].

Exemple 6

Niveau scolaire : Secondaire
Sujet : La chimie
Objectif : Connaître le concept de la loi de Boyle

- On donne verbalement la définition suivante de la loi de Boyle : Si la masse et la température demeurent constantes, la pression d'un gaz est inversement proportionnelle à son volume. Les élèves en discutent ensuite [linguistique].

- Les élèves reçoivent une formule qui décrit la loi de Boyle ($P \times V = K$) et résolvent ensuite des problèmes qui y sont reliés [logico-mathématique].

- On présente aux élèves une métaphore ou une image visuelle de la loi de Boyle : « Imaginez un ballon que vous commencez à presser entre vos mains ; à mesure que vous pressez, la pression augmente. Plus vous pressez, plus la pression est élevée, jusqu'à ce que le ballon éclate ! » [spatiale].

- Les élèves font l'expérience suivante : ils gonflent légèrement leurs joues ; ils poussent ensuite tout l'air d'un seul côté de la bouche (moins de volume) et indiquent si la pression augmente ou diminue (elle augmente) ; ils libèrent ensuite l'air dans les deux côtés de la bouche (plus de volume) et indiquent si la pression a augmenté ou diminué [kinesthésique].

- Les élèves répètent de façon rythmée le texte musical mnémonique suivant :

  Quand le volume diminue
  La pression augmente
  Le sang bout
  Et un cri éclate
  J'ai besoin d'espace
  Ou je vais éclater
  Le volume augmente
  Et la pression baisse [musicale].

- Les élèves deviennent des molécules d'air dans un contenant (un espace clairement délimité dans la classe). Ils se déplacent à une vitesse constante (température) et ne peuvent quitter le contenant (masse constante). Deux élèves tenant une corde représentant un côté du contenant déplacent la corde pour réduire le volume. Plus l'espace est petit, plus on observe de pression (plus de collision entre les élèves) ; plus l'espace est grand, plus la pression est basse [interpersonnelle, kinesthésique].

- Les élèves font des expériences de laboratoire qui consistent à mesurer la pression de l'air dans des contenants scellés et font un graphique de la pression en fonction du volume [logico-mathématique, kinesthésique].

- On demande aux élèves de se rappeler certains moments de leur vie où ils ressentaient de la pression : Sentiez-vous que vous aviez beaucoup d'espace ? (réponse type : beaucoup de pression/peu d'espace). On leur demande ensuite de se rappeler les moments où ils ressentaient peu de pression (peu de pression/beaucoup d'espace). Les expériences des élèves sont reliées à la loi de Boyle [intrapersonnelle].

Index